проза еврейской жизни

Феликс Кандель

Может, оно и так…

Роман

Москва 2013

УДК 821.161.1-31
ББК 84(5Изр)
   К19

Издательство благодарит Давида Розенсона,
без которого создание этой серии
не было бы возможным

Серия основана в 2005 году

Оформление серии А. Бондаренко

В оформлении обложки использована картина
Владимира Любарова «Улетевшая шляпа»

ISBN 978-5-7516-1115-6 («Текст»)
ISBN 978-5-9953-0213-1 («Книжники»)

Хотел написать как можно лучше, но не сумел, не справился с этим. Потому что состарился, и устал, и перестал быть ребенком. Но ты сможешь узнать мир лучше меня и сделать так, как надо.

Януш Корчак

ЧАСТЬ ПЕРВАЯ

Большой человек
НА МАЛЫЕ СВЕРШЕНИЯ

I

Телефон вскрикивает посреди ночи.

Ребенком, пробудившимся от кошмара.

Заливистый звонок во мраке — трескучим мотоциклом под окнами, криком о помощи в тумане, пугающим знаком бедствия.

— Что вы молчите?

Спросонья:

— Я не молчу. Я просыпаюсь...

Женский голос. Приглушенный, издалека:

— Вы меня растревожили.

— Кто говорит?

— Кто бы ни говорил.

Он уже раздражается:

— Что вы хотите?

— Поговорить.

— Почему со мной?

— Больше не с кем.

7

— Ночью?

— Ночью. Дочитала ваше творение и не могу уснуть.

— Замечательно. Но при чем тут я?

— Вы написали. Вам отвечать.

Вздыхает: теперь не задремать. Говорит без симпатии в голосе:

— Я много чего написал. Всего не упомнить.

Отвечает. Чуть даже мстительно:

— А я напомню. Я вам напомню.

Слышно, как листает страницы.

— Сказано. В самом начале: «А одинокие льют слезы в подушку...»

— И что?

— Это из личного опыта?

Молчит.

— Я так и думала...

2

Весна приходит, когда ей вздумается.

Шальная и проказливая.

Еще с зимы перебирая наряды, охорашиваясь в зеркале снеговых вод, чтобы очаровать на выходе прихотливым многоцветьем под горестное «ах!» завистливых несовершенств. У каждой весны свои воздыхания и свои любимчики: кому в плод, кому в пустоцвет — и несказанное буйство апельсинового цветения после стылых ночей и зябких проливных дождей.

Километры садов.

Неисчислимость плодоносных деревьев.

Неизбывность желаний — вывести на свет, как на выданье, гроздья соцветий, бело-розовую их кипень, упрятавшую в глубине желтизну тычинок.

Неуемность воскурений, густотой обволакивающих просторы, — птицы наталкиваются на них в полете, одолевая с трудом и затаенным восторгом. Даже пассажиры на трапе самолета — в аэропорту, за многие дали — вдыхают дурманящие наваждения иных краев, словно приземлились в гуще апельсиновых садов. Даже новорожденные вдыхают их с первым глотком воздуха, отчего не плачут — изумляются.

Не кричит петух, до изнеможения околдованный благоуханиями. Не мычит корова в обильных излияниях молока, впитывающего весеннее колдовство, чтобы донести его до больших и малых детей, опьянить-растревожить. Жители окрестных поселений не спят по ночам, уносимые на крыльях дымных, чувственных благовоний, которые навевают беспричинную печаль или излечивают ее до утраты памяти.

А одинокие льют слезы в подушку.

3

В городе, на малом газоне, растет апельсиновое дерево. Пробуждаясь по всякой весне, вспениваясь без оглядки свадебной белизной, наливая соками неприметные поначалу плоды, затерявшиеся в листве, напитывая их эфирными маслами, раскрашивая по осени в оранжевое великолепие. Апельсины с нижних ветвей обирают жильцы; верхние, недоступные вожделениям, висят долго, очень долго, опадая по одному, догнивая в сохлой траве. В редкие зимние холода выпадает снег, покрывает ветви, и апельсины — гномиками под пушистыми колпаками — восторженно сверкают среди недолговечной крупчатой белизны.

В прошлом году весна запоздала, проявившись в поздние сроки.

Природа истомилась в ожидании, и когда подступили наконец жаркие дни, растительный мир начал стремительно наверстывать упущенное.

Проснулся лавр в кадушке на балконе, вывел — детишками на прогулку — малые листочки светлой зелени. Анютины глазки — только что без ресничек — доверчиво взглянули на мир, высматривая свой интерес. Фиалка на подоконнике выказала нечто крошечное, застенчиво-фиолетовое в глубинах листвы, оберегая

от возможных посягательств. Амариллис, про-
дремав всю зиму, выпустил пару тугих стеблей,
на концах которых упрятались до срока граммо-
фончики густо-карминного окраса. Розы на газоне распустились кучно, стремительно, отпихивая соседей, поспешая вырваться наружу из
вынужденного сокрытия, обвиснуть в красе оне-
мения, тяжести которой не снести.

Пробудилось и апельсиновое дерево на газоне, зацвело, оглашенное, бесстыдно, бес-
шабашно, ненасытно и напоказ, истекая при-
зывными ароматами, всю свою мощь, всю
неутолимость желаний пытаясь обратить в цветение. И добилось своего. Надорвалось от усилий. Не выдало ни единого апельсина, которые
в иные времена обвисали на ветвях, как упря-
тало их в земле от завистливого глаза, подобно
расчетливым картошкам-морковкам. Зашуме-
ло, бесплодное, на ветру, размахалось налегке
листвой, — лишь творение, отягощенное плодами, качается степенно, с пониманием. Финкель собрал соцветия того безумства, высушил,
уложил в шкатулку, намереваясь сохранить неодолимый призыв к пробуждению ощущений,
которые угасают.

Одно цитрусовое — еще не сад. Два — тоже.
Знатоки уверяли, что во время того цветения
подступил жгучий хамсин, опалил нежные за-
вязи, лишив дерево будущего материнства, но

Финкель не поверил знатокам, ибо и ему были знакомы несбыточные мечтания, нерасчетливые буйства молодости, которые не приносили плодов. Финкель огорчился безмерно по живости своей натуры, и цитрусовое создание, сконфуженное необузданным порывом, дотянулось ветвями до верхних этажей, вырастило — ему на усладу — семь крупных апельсинов, которые перезимовали под ветрами-ливнями и продержались до нынешней весны.

Прошел слух, будто рыщет по округе тусклый человек, мстительный и высокомерный, лживый и двоедушный, кровопивец и человекоядец, подпугивает ненароком животный и растительный мир: «Вы меня удручаете», но скрытых намерений пока не проявляет. Одежды на нем чистые, уши мытые, ногти ухоженные, а нутро грязное от недержания с невоздержанием, словно прополоскали его в сточных водах; от недоброго прищура вянут соцветия, опадают с ветвей апельсины, ибо глаз человека чёрен, оранжевому нестерпимый. Дерево беззащитно, плоды его беззащитны, и после каждого пробуждения Финкель пересчитывает привычно: семь, всё еще семь, которых не уберечь.

По утрам спускается по лестнице реб Шулим, садится на скамейку под апельсинами, замирает надолго.

— Чего он ждет? — спрашивает девочка Ая.

Финкель отвечает:

— Перед нами человек, который не верит на слово. Никому. Даже Ньютону. А потому проверяет закон всемирного тяготения. Ньютон проверял на яблоках, реб Шулим — на апельсинах.

— Де-душ-ка, расскажи...

Начинается день первый, когда родители улетят на Мальту, а дедушка с внучкой, воспользовавшись их отсутствием, отправятся в поход по собственной квартире, рассуждая о том, кому что заблагорассудится...

4

Он засыпает за полночь в своей постели.

Всякий раз за полночь, как навсегда, на краю Средиземноморья, посреди непокойного земного взгорья, в краю олив, смоковниц, виноградных лоз, и на цыпочках, чтобы не спугнуть, подступают к изголовью тревожные сны, заманивая в призрачные обманы, — так затерянные лесные озера утягивают замечтавшегося странника в бездонность своих глубин.

Казалось, всё пересмотрел, но прошлое неотвязчиво, от прошлого невозможно отлипнуть, ибо транслируют ему картины на беленом экране потолка, полночные сериалы, смонтированные случайным образом, в неразгаданном замысле неведомого постановщика. Жизнь завершается, из мозаики осыпаются близкие ему лица, которых не счесть, из записных книжек — адреса-телефоны. Они сдружились — камушек к камушку — в те благодатные времена, когда день уходил на покой без прекословия, а ночь покорно подчинялась рассвету; они пришли и прошли, их деяния позабыты, память о них проявляется в сновидениях или в натужливом вздохе.

Вот и теперь: привиделась мама, тихая, деликатная мама-миротворица в неснимаемой шерстяной кофте, словно ей знобко на свете; мамина рука с узким запястьем, невидное колечко на пальце с капелькой аметиста, ломоть серого хлеба на ладони, негусто посыпанный сахаром, лакомство скудного послевоенного детства. Даже сладость ощутил во сне — пробуждаться не захотелось, а она окликает негромко, по-прежнему, ласково поднимая по утрам: «Вставай, сыночка. Радость упустишь». — «Всё, — отвечает. — Встаю», — и просыпается в потрясении.

У Финкеля есть свои, привычные для него шумы, которые не отвлекают от сна. Шепоток за окном, смешок, тихий призывный возглас: звуки наполняют комнату, толпятся у его кровати, касаются руки, головы, плеча, приглядываются, перемигиваются, перешёптываются взглядами. «Кто вы?» — спрашивает. «Кто ты?..» Будит его незнакомый перестук за стеной, глухая тишина — слышнее грохота, а на рассвете пробуждают неудобства. Неудобства накапливаются за ночь, как подпирают излишки влаги, взывая к скорейшему опростанию, и Финкель открывает глаза.

Темнота нехотя сползает по черепицам, утекает водосточными трубами к земле, в землю, цепляется за ветви деревьев, где ночуют пернатые, и те начинают предутренние беседы, не наговорившись за прошлый день. Воркованием голубя. Наглым карканьем вороны. Легкомысленным чириканьем воробья, хрипатым вскриком грузной сойки-красавицы, который не заглушить подушкой на ухе, призывным теньканьем крохотного цуфита-медососа, в горле которого запрятана свистулька, — гортани не подвластны такие высвисты.

— Цлиль... Цлиль...

— Длиль... Длиль...

— Циф-цуф, Пинкель... Циф-цуф...

Утренний урок птичьих наставников: неугомонный зарзир, стремительная снунит, хлопотливая нахлиэли, — при пересечении границ и климатических поясов они обретают иные наименования: скворец, ласточка, трясогузка. И не отнекивайтесь, не надо: не выучишь их язык — не познаешь притчи пернатых, завлекательнее которых нет на свете, не разгадаешь предвечерние полеты в небесах, стремительные развороты с набором высоты, показательные групповые выступления воздушных акробатов.

Учите птичий язык — не прогадаете.

— Не Пинкель, — бурчит всяким утром. — Финкель. Фин-кель! Могли бы запомнить...

Бабушка Хая поведала внуку: если полыхнет крыша синагоги, огонь подберется к бесценным свиткам, птицы налетят стаями, загасят пожар, махая крыльями, отведут беду. «Деточка, — попросила бабушка, — не обижай пернатых», и он не обижает, хоть на рассвете очень этого хочется.

— Мац-хик, Пинкель, мац-хик... — это уже духифат, суетливый удод в полосатом окрасе, с тонким удлиненным клювом, хохолком над головой, изумленный видом своим, прозванием и незаслуженной славой.

Отвечает ему, отвечает всем, не желая откидывать одеяло:

— Ваши «цилум-цилум» — не на наше разумение... Говорил мой незабвенный друг: кто рано встает, тот много тратит.

А они за свое, призывая к подъему:

— Шум-клум, Пин-кель... Шум-клум...

— Кум, Пин-кель... Кум-кум...

Но встать не так просто, оторвать голову от подушки, ноги опустить на пол. Обнаружились части обжитого тела, не согласные со своим владельцем, стали ему противиться, а точнее, болеть. Они начинают с пробуждения, на все голоса — нытьем в пояснице, покалыванием в груди, молоточками в висках: «Хватит, дорогой. Наработались. Иссякает число наших дней».

Финкель с этим не согласен. Возражает наперекор всему, одолевая утреннюю немочь:

— Прожить бы еще лет двести — двести пятьдесят, но станут ли так долго платить пенсию?..

К старости Финкель изменил фамилию, самую ее малость. Стал Гур-Финкель, Детеныш-Финкель на языке здешнего проживания, чтобы оправданно оставаться в младенческой ненасытности, — вот только силы где взять, силы?!.. На стене висят часы. Батарейка давно скисла, стрелки зависли в недвижности, а может, завис он сам в ожидании последних чудес. Подкапливается заряд в батарейке, пробуждаются от спячки ионы с электронами, минутная стрелка немощно подергивается на месте — на большее недостает усилий. Слышит слабые ее щелчки, видит упорные попытки: «Не всё потеряно. Еще не всё...», но батарейку в часах не меняет. Дни катятся чередом, уловляя в нехоженые дали, и вот молитва старого человека на исходе ночи:

— Господи, не прошу у Тебя многого, я не такой нахал, как некоторые! Прошу самую малость, Повелитель Вселенной, чтобы не сгинуть от натуги в непригожем месте, в непотребном виде. Проложи путь без помех, Господи, дай ощутить облегчение всяким утром, после завтрака, часам к восьми-девяти, радующую безмерно пустоту кишечника. Ибо голова наполняется, когда желудок пустеет, становится годной для размышлений и изысканий. Согласись, Господи, я не прошу невозможного. Самое необходимое в моем положении, самое важное и нужное...

Разговорился — не расслышал звонка на входе. Спасибо — птицы надоумили:

— Циль-цуль, Пинкель... Циль-цуль...

А в дверь уже забарабанили: кому-то невтерпеж. Идет открывать, приговаривая на ходу:

— Вот он шагает. Легко и размашисто. Широко и неспешно. Не шмыгает, не шаркает. Приближается неумолимо, надвигается неотвратимо...

На лестничной площадке ожидает верзила головой под притолоку. Обеспокоенный и встревоженный. Кладет руки на плечи Финкеля, глядит сверху вниз, высматривая прогалы в его шевелюре:

— Врач сказал, что я ничем не страдаю, а оттого вылечить меня непросто...

5

Он объявился на свет, чтобы сразу же умереть, а его сосед по палате — чтобы жить, и жить замечательно.

Они проклюнулись в один час, под одной крышей и лежали в кроватках, отмытые от родовой нечистоты. Сосед по палате глядел на мир иссиня-ясным взором, с доверием, симпатией, как попал в обжитой дом, где тепло, светло, необидчиво. А у него были глухие, лаком покрытые глаза; всматривался он, казалось, внутрь себя, точнее, внутрь утробы, из которой вышел.

Каждому было минут за сорок, и врач сообщил:

— Тот, синеглазый, станет жить. А этот… Кормить нельзя. Не кормить — тоже нельзя. Ото-то, граждане, ото-то…

— Имя ему давать? — суматошились родичи. — Имя? Зачем ему имя?..

— Дайте, пока не поздно.

На восьмой день лишили его крайней плоти и назвали по имени, которое издавна дожидалось в бездетной семье; моэль прокричал положенное: «Этот малыш станет великим в Израиле…», родители пролили слезу. Его рожали на исходе материнства — обзаведись наконец наследником, и вынести скорбь было невозможно. Всхлипывали возле детской кроватки, ожидая скорого прощания. Расставались навсегда, отправляясь на работу, всматривались с беспокойством, возвращаясь к вечеру. Судьба человека записана на оборотной стороне лба, прочитать ее не дано никому, даже знатокам.

— Ото-то, — повторили через пару месяцев не так уверенно. — Неделя–две, не больше... Наглядитесь, пока живой.

Он лежал в коляске на балконе, птицы прилетали к младенцу, опахнув крыльями, сообщали о том, где побывали, что видели, а он тянул к ним руки, смотрел и слушал, внимал и вникал с гуканьем, пуканьем, первые слова произнес на птичьем языке, сначала на птичьем: «Бик-бук... Бик-бук...», слюнку пуская от удовольствия, озадачивая взрослых людей, что горестно закатывали глаза и затыкали рот соской.

Все вокруг были наслышаны о неизлечимой участи ребенка, которому не познать смеха юности, прикладывали палец к губам при его появлении: «Ото-то... Ото-то...», но он жил себе и жил, рос и рос, голод не отпускал его, тарелки с кастрюлями пустели, не утоляя, нескладное тело укрупнялось несообразно в ошеломленности души и тела.

Слабогрудый, узкоплечий и длинношеий, с головой, вздернутой к небесам, словно весь пошел в позвоночник, в «трубку», а на прочее не хватило материала. Рост — под два метра. Ботинки — пятьдесят невозможного размера. Шапка на макушке — мельче не бывает. Губы вздутые, руки короткопалые, зубы крупные, лошадиного покроя, волосат не в меру на голове и под рубашкой, в тревогах ума, неспособного распознать причины этих тревог с высоты своей малости. В глазах вечное сомнение, застывший навсегда вопрос: «Отчего оно так?..»

Его будят по утрам постельные неудобства. Кровать коротка для такого роста, согнутые ноги сводит судорогой, огромные ступни высовываются из-под одеяла и коченеют. Затерявшийся в сомнениях, доверчивый и забывчивый, встает столбом посреди комнаты, недоумевает по поводу:

— Пока сплю, вещи меняют свои места. Утром нахожу их не там, где оставил вечером, или не нахожу совсем...

В квартире живет муха, давняя его сожительница, что летает следом как привязанная, из комнаты на кухню и обратно, пристраивается за столом — пообедать за компанию, в фасеточном ее глазу отражается во множестве друг-кормилец. Ото-то ее бережет, окна держит закрытыми даже в жаркие дни, иначе объявятся чужие мухи, среди которых его подруга способна затеряться. «Зим-зум... — погуживает ему на ухо. — Зим-зум, Ото-то, зим-зум...»

— Финкель, — говорит с порога. — Пошли ко мне. Муха пропала.

— Гур, — поправляет. — Гур-Финкель.

И идет на розыски. Не в первый раз. Имя мухе Зу-зу — совершенное творение с множеством удивительных органов, запрятанных в крохотном тельце, с недолгим сроком пребывания на свете, что является одним из признаков недопустимого расточительства природы. Затихает порой в укрытии, вгоняя в панику владельца квартиры, — ее следует разыскать и успокоить соседа, что не так-то просто.

— Ей скучно одной, — сказал Финкель. — Заведи для Зу-зу муху-приятеля.

Надулся. Губы распустил обиженным ребенком:

— Со мной не скучно...

Руки его провисают, обвитые набухшими жилами, будто натружены от затяжной работы, но ему не обтесывать камни, не стругать доски рубанком, не вгрызаться фрезой в железо. Ноги заплетаются в хилости и хворости. Язык запинается. Ладони роняют чашки с тарелками. Большой телом и слабый рассудком, он живет в колыханиях путаных чувств и плотских содроганий, ибо не утихает инстинкт сохранения вида. Посреди ночи вскакивает с кровати, мечется спросонья по комнате, потому что там, во сне, скапливаются облака, способные помешать свиданию, накрапывает легкий, прохладный дождик, — хватает зонтик, ныряет под одеяло, но не заснуть, уже не заснуть, а там затяжной дождь, ливень, вселенский потоп, там стоят лицом к небу возле садовой скамейки, раскинув в желании руки, струям предоставив тело, истомившееся от зноя, там ожидают его возвращения, готовые полюбить и принять таким, каков есть…

— Де-душ-ка, что с ним?

Дедушка разъясняет обстоятельно, не спеша:

— Сердце у него. Расширено от рождения. Для здоровья плохо — не побегаешь, не попрыгаешь, а для соседей хорошо; расширенное сердце способно вместить немало любви, радости, желаний.

— И горестей, — добавляет девочка Ая, сердобольно-отзывчивая.

— И горестей, моя умница.

Раз в месяц они идут в банк, старый и молодой. Ото-то опасается, что его деньги перемешаются с чужими — потом не распознать, снимает со счета очередное пособие, отдает Финкелю для сохранности и берет понемногу к неотложной потребности. Имя ему — Реувен. Реувену сорок без малого, но кому это интересно? Велик размерами, диковат видом, устрашает девушек на вечерней улице, плюхая башмаками по тротуару, — повод для сокрушения. Подходит к прохожему, руки кладет на плечи, нависает, выказывая зубы:

— Ты меня ищешь? Меня никто не ищет.

Финкель ему отвечает:

— Тебя ищут, но пока не находят. Ото-то, друг мой, ото-то...

И сочиняет на досуге поучительную историю:

«...из горных краев, из скальных пещер и непролазных ледяных глубин взглядывает на мир одичалый Снежный человек, который принарядился в ненадеванную шкуру, расчесал космы волос на груди в безуспешной надежде, что его наконец-то обнаружат, включат в туристские маршруты нехоженых гималайских вершин.

Косматость отшельника изумит народы, неохватная мужская стать восхитит женский пол, и набегут стайками молодящиеся дамы с подтянутыми за уши морщинами, похлопают по могучей груди, кинокамерой запечатлят на память. Сидит в снеговой тиши, печальный и неухоженный: "Никто меня не ищет. Никто!..", а мода на него прошла, интерес завял, никому нет дела до истосковавшегося одиночки. Мир решил, что Снежного человека нет на свете, и он дряхлеет в холоде стылых чащоб, вмерзая в оледенелые воды в тоске-томлениях...»

— Приходи к обеду, — зовет Финкель. — Отправляемся в поход.

Это иное дело. Ото-то рад приглашению, ибо живет негусто, жует нечасто. Обедать он любит, путешествовать — тоже.

— Де-душ-ка, — спрашивает девочка Ая, — чем же ему помочь?

Дедушка рассказывает:

— Тело у него большое. А в нем человеку просторно, как в нетопленом сарае, зыбко, зябко, дует во все щели. Подвернуть бы одеяло под бок, но нет там одеяла. Требуется теплота снаружи — твоя, моя, всякая — его отогреть. Много теплоты.

6

Качается на ветру вишенка на черенке, качаются-позванивают ягодки-смородинки; апельсины на ветке — елочными оранжевыми колокольцами — наигрывают неспешный полонез, словно приоткрыли музыкальную шкатулку, которую мама с папой привезли из Сан-Паулу. Ступают степенно, парами, в учтивых поклонах некрупные звереныши и непуганые насекомыши, — во сне обычно ничему не удивляешься, а если удивляешься, значит, уже не спишь.

Ее будят пернатые. Скандал на балконе. Птичья свара с оскорблениями и проклятиями. Три хулигана, не поделив добычу, гоняют по балкону усохшее, не поддающееся клюву семечко, честят обидным словом:

— Тип-пеш...

— Пиш-пеш...

— Тум-тум... Тум-ту-ту-тум...

— М-тум-там... М-тум, м-там...

На окне, на тонкой леске, висит стеклянный шарик размером с перепелиное яйцо. Дедушка подвесил его в комнате внучки, и ранний рассветный луч проходит через граненое стекло, раскидывая цветные побеги всяким погожим утром. Ветерок раскручивает шарик, затевает радужные игры на стенах: первая радость — она к пробуждению, так должно быть. Чтобы утро раскрыло двери, заманило в свои глубины; чтобы жил в ребенке праздник, вечное его ожидание, тогда и девочка Ая распахнет со временем чью-то дверь, раскидает на своем пути радужные побеги, удивление, чудо, восторг.

— Кем же я буду? — интересуется Ая, которая растет во сне, растет на прогулке, когда ест суп, прыгает на одной ножке, льет тихие слезы.

— Кем буду я? — повторяет Ото-то, хотя расти ему некуда и незачем.

Финкелю тоже незачем, но он до сих пор вздрагивает по ночам, что является признаком неуклонного роста, — вниз, должно быть, вниз так вниз.

Ая выходит на балкон, видит хулиганов-опустошителей в суетливом старании, черноголовых и лупоглазых, тощих, вертких, задиристых, согласных на дружные пакости. Они налетают с разбойным посвистом, двое остаются на стрёме, третий заглатывает в нетерпении любимые мамины насаждения и уступает место товарищу. Бульбули-хулиганы изводят великолепие глиняных горшков, оставляя лысые пробелы, — на них не напасёшься.

Ая насыпает им зёрнышки, каждому по горстке. Опускается на балкон голубь-воркун в надежде на угощение, а девочка бежит в комнату:

— Мама, слышишь? Голубь горло полощет...

Папе с мамой некогда. Папа с мамой улетают на Мальту — рассмотреть в подробностях старинный город Ла-Валлетту, пристанище пиратов и масонов, соседний остров Гаудеш с городом Виктория, он же Витториоса, а также крохотный Коминотто — мушиной точкой на карте, где непременно следует побывать и по возвращении посрамить приятелей.

Папа Додик готовит маршруты заранее, долгими сладостными вечерами, не упуская малости, достойной рассмотрения с запоминанием. Одних гонит по свету флаг на мачте, других прыщ на седалище, тоска едучая: бежать от неё — не убежать; папа с мамой используют отпускные недели к обновлению впечатлений и гардероба. Туристские маршруты обследованы и затоптаны, но мир неохватный — есть на что посмотреть; они собираются дружной компанией, разглядывают снимки на экране, перечисляют со вкусом: «Подплываем мы к Лас-Пальмасу...» — «Не успели приземлиться в Катманду...» — «А в Гвадалахаре... — ко всеобщей зависти. — Вы не поверите, что приключилось в Гвадалахаре...»

Удача — она всякому к лицу. Папа Додик — глава семьи, знаток компьютерных утех, которые хорошо оплачивают; мама Кира — финансовый работник, восседает за окошком банка в щедротах зрелости. Оберегают гены, доставшиеся по наследству, обновляют клетки тела, ублажая полезным питанием, выводят вечерами на прогулки для получения максимальных удовольствий, которые кому-то покажутся минимальными.

— Что я ем? — сокрушается мама Кира. — Чашечка кофе, лепесток сыра на завтрак — разносит, как на дрожжах.

Глаза у мамы голубеют в минуты наслаждений и зеленеют от приступов гнева, суживаясь по-кошачьи. Мама вздыхает перед зеркалом: куда подевалась девушка Кира, тоненький стебелек, озорная непоседа, которой не коснулся еще мужчина, не оросил ее недра? Мама раздобрела от устойчивого семейного быта, признаёт с печалью:

— Отпустила себя — теперь не догнать...

В Лувре, в зале Рубенса, разлеглись без стеснения на огромных полотнах пышнотелые, пышногрудые мамы Киры. «Через этот зал не пойдем, — сказала мама. — Незачем». — «Я пойду, — заупрямился папа. — Через этот зал». — «Не смотри по сторонам. Зажмурься». Но он смотрел. Даже останавливался с видом знатока, смакуя подробности. «Ты лучше», — сказал без обмана, но похвала ее не порадовала.

Подруги, умудренные опытом, нашептывают:

— Зачем тебе диета? Для чего мучить себя? Прежде было нужно привлечь мужчину, выйти поскорее замуж, — у тебя семья, слава Богу, ребенок: ешь-пей, погуливай, где доведется.

Мама Кира в сомнениях. На маму заглядываются состоятельные клиенты, которых притягивает ее бюст, вяжущее дуновение духов густо-розового, будуарного колера, влекущее к обострению чувств. Клиенты склоняются к ее окошку, намекают ненавязчиво, и, говоря откровенно, было у мамы приключение, что бы ему не быть? В гостинице. После работы. На двуспальном ложе. С поклонником, которому под пятьдесят. Опасение глушило желания. Любопытство пересиливало боязнь. Шампанское исходило пузырьками нетерпения. Мама была хороша в свои затридцать, голубели ее глаза, да и мужчина не оплошал, разносторонне умелый, оставив на теле волнующие прикосновения.

Подруги всё видят, обо всем наслышаны.

— Тебе легкомыслия недостает, — выговаривают с укоризной, завидуя ее бюсту, способному выкормить дюжину детей, мужскому к ней интересу, но мама Кира опасается необратимых поступков, которые приведут к разладу в семье, на уговоры клиентов больше не поддается:

— Полчаса удовольствий, а затем развод? Нет уж, увольте... Снова следить за весом, ограничивать себя в еде, чтобы найти дурака и выйти замуж? Такое не для меня.

Папа Додик согласен с мамой, но для себя, возможно, просчитывает иные варианты. Раз в году папу призывают в армию на пару недель: сторожить базу с винтовкой на плече, валяться на матраце в пыльной палатке, дурея от жары и скуки. На соседней кровати непробудно спит Габи, шофер десятитонного грузовика, который грузят цементом, бетонными плитами, камнем для облицовки зданий. Габи — анархист по природе, хоть и не обучен такому понятию; небритый в синеву, звероватый под сицилийского мафиози, он не способен подчиняться, послушание не приемля. Вечерами уходит в город, снимает номер в гостинице, выбирает на улице девушку, лютует до рассвета, чтобы к утру вернуться на базу, завалиться на матрац после трудовой ночи — пузо наружу. К вечеру на стрельбищах затихают выстрелы; мужчины молятся лицом к востоку, затем ставят плошки возле мишеней,

поджигают мазут, и начинается стрельба из по-
ложения лёжа. Папа Додик преуспел к всеобщему
удивлению, пару раз попадая в десятку; анархист
Габи — в знак признания — пригласил его на сов-
местную ночную вылазку, но он не использовал
такую возможность, о чем, возможно, сожалеет.

Папа Додик подвержен проблескам чувстви-
тельности, которые проявляются в день рождения жены, не чаще. Встает спозаранку, готовит
завтрак, будит ее и поздравляет, подает кофе в
постель; в остальные дни завтрак готовит мама
Кира.

Папа с мамой гордятся тем, что заработали
на квартиру с балконом, с видом на горы, с ком-
натами для всех; есть даже место для худород-
ной собачки по кличке Бублик. Притихшие после работы, немногословные, наговорившиеся с
заказчиками-клиентами. И девочка у них тихая.
Дедушка тихий. Собачка. Радио, пылесос, сти-
ральная машина — очень тихие.

7

Девочка Ая — поздний ребенок, которого не
ожидали.

Финкель тревожился, себя не выдавая, папа
Додик стоял насмерть, усматривая помеху без-
мятежному благополучию, но мама Кира обхи-
трила в постели недогадливого мужчину.

— Дорогая, — намекали клиенты, на что-то еще надеясь, — вам надо всегда быть беременной. Вам это идет.

Дедушке показали внучку на исходе первого дня. Она прихватила в кулачок его палец, подержала, не отпуская, и Финкель, вдовец Финкель, дни проводящий в печали, душу распахнул настежь и тут же переехал к дочери — купать, кормить с приговорами, брякать погремушкой. В один из дней мама Кира прибежала в поликлинику: «Доктор, девочке восемь месяцев — и ни единого зуба!..» Доктор сказал: «Вам попадался ребенок без зубов? Вырастут и у нее». А Финкель подумал: «Мне попадался ребенок, который не сможет ходить. Никогда», но никому о том не сказал.

Наконец зубик проклюнулся. Его простукали серебряной ложечкой, на радостях мама Кира запекла в духовке баранью ногу, папа Додик откупорил бутылки, друзья привезли салаты, заливную рыбу на блюде, пироги скорого приготовления из коробочной смеси муки-шоколада, которые Финкелю не по вкусу, — то ли дело «Чудо», пирог его мамы, желтый на разрез, запашистый, с изюмом, корицей, сахарной пудрой. После еды гости заговорили разом: «Подлетали мы к Каракасу...» — «Катались на рикше по Бангкоку...» — «Купались в Лигурийском море...» — «Кормили крокодилов в Кении-Танганьике...»

Мама Кира хотела еще мальчика, круглоглазого, кудрявого, ручки в перевязочках, но папа Додик воспротивился — до вечерних скандалов и ночного увиливания. На карнавальный Пурим мама подговорила женщин, молодых и в солидном возрасте: напихали подушки под одежды и явились в банк беременными, на последнем месяце, отработав день на глазах пораженных клиентов.

— Сели, — командует мама Кира.

Садятся перед дорогой.

— Встали, — командует. — Хаим, отдыхаем!

Папа относит в лифт чемоданы. Мама просит в дверях:

— Отведи ее в садик.

— Отведу, — обещает дедушка.

— Присмотри за ней.

— Присмотрю.

Дверь закрывается. Остается стойкий аромат маминых духов, свидетельствующий о ее незримом надзоре.

Дедушка с внучкой переглядываются заговорщиками: никуда она сегодня не пойдет, не пойдет в садик и завтра; впереди неделя свободы, которой надо распорядиться со смыслом. Осенью ей идти в школу, начнутся иные интересы — опять он останется один, в пожилом младенчестве, проводив внучку в подростковый мир. Мама Кира ушла от него в свой срок, лишь

33

наскучило быть ребенком, и теперь, глядя на эту щедротелую женщину, можно поражаться тому, что они вытворяли с хохотом-кувырканиями, когда оба были маленькими. Будто не она, крохотная, бесстрашная, отчаянно кидалась с высоты в надежные отцовские руки, которые подхватят, не упустят, прижмут к себе, уловят биение детского сердца, средоточие ликования. Глядела на эти безобразия строгая дама с поджатыми губами, разъясняла своему воспитаннику: «Разве можно себя так вести?» Тихий мальчик отвечал с грустной покорностью: «Я тоже прыгаю с высоты. Только во сне».

Комнаты дедушки и внучки расположены рядом, у каждой выход на балкон, и они оберегают от родителей свою тайну. Папа с мамой усаживаются вечерами у телевизора, а она перебегает к нему в пижаме, залезает под одеяло:

— Де-душ-ка, расскажи...

Носом утыкается во впадину над его ключицей, ресницами щекочет щеку, палец дедушки прихватывая в кулачок, — трепетание ее ресниц, как трепетание души, а Финкель рассказывает без скидок на малолетство, передает внучке способность удивляться, не упускать невероятные события на своем пути, поражающие воображение.

— В лесу объявилось необычное животное, переполошившее птиц и зверей. Нет у него

34

ушей — слышит пяткой. Нет глаз — видит носом. Не углядеть даже рта — куда же закладывает еду?.. Собралось в кружок лесное население, вопросило с пристрастием: «Как звать?» — «Как назовёте». — «Откуда пришло?» — «Откуда скажете». — «Чего умеешь?» — «К чему приставите. Жуков пасти. Муравьёв стеречь. Гусениц щекотать». — «Ещё чего?» — «С черепахой ползать. С кузнечиком прыгать. С лягушкой квакать». Решили неуступчиво: «Прогнать!» А оно доброе-доброе, косматое-косматое, облохматилось, по кустам бегучи; виляет ногой за неимением хвоста, каждому заглядывает в глаза. Ростом, между прочим, с валенок... Подумай и скажи: что бы ты сделала?

— Возьмём, — отвечает внучка. — Пусть у нас поживёт.

И он уносит её, сонную, в кровать.

— Де-душ-ка, — шепчет в дрёме, — что такое валенок?..

Поутру открывает глаза — девочка стоит, ждёт пробуждения. Отпахнуть одеяло, впустить в теплоту постели, чтобы зашептала на ухо, обдавая лёгким дыханием:

— Давай тайничать. Ты пишешь мне, я тебе, и кладём под подушки. Разговариваем с помощью под-подушек: никому не догадаться.

— Давай, — соглашается дедушка и после очередного пробуждения находит в изголовье записку. Буквы расползаются по бумаге, большие, кривые и помельче: «Хочется сказать неправду, хоть разочек!» Финкель отвечает коротко, под-подушечной почтой: «Разочек можно».

В тишине расцветает миндаль в горах. В тишине подрастает девочка Ая, большеглазая, задумчивая не по возрасту: душа приоткрыта чудесам. Порой затихает в полумраке комнаты, глаза смотрят — не видят, голубенькая жилка набухает на лбу. Дедушку это беспокоит, дедушка спрашивает — таков их пароль:

— Отчего ты грустный, пирожок капустный?

Внучка отвечает:

— Оттого я грустный, что ужасно вкусный.

И оба тихо радуются.

У Аи в комнате живет огромный зверь. Белый пушистый медведь сидит на полу, привалившись к стене; девочка пристраивается у него на коленях, спиной к теплому животу, зверь обхватывает ее лапами, черным кожаным носом утыкается в затылок, дышит неслышно в обе ноздри. Финкель усаживается рядом на коврике, вытягивая ноги; Ая читает по складам книжку, разглядывает картинки на страницах, дедушка млеет в теплоте ощущений.

Сказал однажды:

— Такой медведь не может быть игрушкой, очень уж он велик. Его место в лесу или в зоопарке.

— Он не игрушка, — ответила. — И он это знает.

В руках у девочки книга. Про патриархов Авраама, Ицхака, Яакова. Про Сарру, Ривку, Лею, Рахель. Книга открыта на той странице, где Яакову привиделся сон и сказано скупым словом: «Вот, лестница стоит на земле, а верх ее касается неба; и вот, Ангелы Божии восходят и нисходят по ней...», ибо там, наверху, расположены Врата Небес.

У Аи глаза вопрошающие.

— Де-душ-ка... У ангелов есть крылья. Отчего же они не летают, а поднимаются и опускаются по лестнице?

Финкель не готов к ответу и размышляет в постели немалое время, разглядывая по привычке белизну потолка. Посреди ночи спрашивает себя: «Возможно, они не ангелы, но люди? Поднимаются в последний свой путь». — «А опускаются? Кто же опускается по лестнице?» — «Они и опускаются. В наши сны».

— Де-душ-ка... — С паузами и придыханием: — Муравей ползет по строчке... Де-ду... — На «шка» недостает воздуха. — Он читает!..

У Ото-то — муха Зу-зу. У них — муравей в квартире. Иногда их два, иногда нашествие, но этот выделен среди прочих, хоть распознать его невозможно. Мама Кира смахнула муравья со стола, и он шлепнулся на пол, отбив лапки. «Ах, как грубо, — сказал, отряхиваясь, — как бесчеловечно!..», — дедушка уловил жалобу крохотного существа, страдающего от унижения, пересказал внучке, но мама не расслышала или сделала вид, что ничего не случилось.

Потом они поют на два голоса: «В далекий край товарищ улетает. Родные ветры вслед за ним летят...» Финкель научил, Детеныш-Финкель, больше некому. Папы с мамой улетели на Мальту, и после обеда они отправятся в поход. Одних привлекает город Ла-Валлетта, других — необследованные окрестности обитания для осмотра, обмера, нанесения на карту.

Ая интересуется: «Тебе сколько лет?» — «Двадцать семь» — отвечает Финкель, позаимствовав ответ из давнего своего сочинения. «Неправда. Тебе за семьдесят». Искушает ребенка: «Решай сама. Двадцать семь — могу идти в поход. За семьдесят — нет больше сил». Подумала, сказала: «Ладно уж, тогда двадцать семь».

— Я девчонка еще молодая, — напевает дедушка в полноте чувств, — но душе моей тысяча лет...

8

— Когда приедешь? — прохрипел через границы незабвенный друг, а голос надтреснутый, скрипучий, из обожженного горла.

— В мае, наверно.

— Я дождусь.

Не удержался, пропел-просипел на прощание:

— Ночь коротка. Ждут облака. Я лежу у Него на ладони... — выдох прервался, вдоху не наполнить бессильные легкие.

Он был счастливчиком, не иначе, его незабвенный друг. Которого одарили при рождении дивным свойством, чтобы не прозевал значительные события по сторонам. Не проспал. Не проглядел мимоходом в соблазнах упущений, ибо удивительное случалось непрерывно, требуя непременного его присутствия, прикосновения с переживанием.

Говорил, смакуя каждое слово:

— Девиз рода Коновницыных: «Желаю только бессмертного». Девиз рода Кочубеев: «Погибая, возвышаюсь». Девиз рода Кутайсовых: «Живу одним и для одного». Девиз графов Дибичей-Забалканских: «Всякому свое». Наш девиз: «Ограничимся бо́льшим».

Годы прожил запойные, хозяином застолья, в охмеляющем задоре-кураже, в усладу себе и каждому, но к рюмке прикасался не часто, пьяноватый без вина.

— Люблю кормить, — говаривал с удовольствием. — Чтобы досыта. Этих объедал.

— Он любит... — ворчала жена его Маша. — А мне топтаться у плиты. До вечера.

— А посуду? — ревел в ответ. — Кто посуду потом моет? До ночи?..

Жена его Маша подносила из кухни блюдо за блюдом, он подливал гостям, бурливо говорлив, спорил до неистовства, перескакивая с разговора на разговор, громил собеседников неоспоримыми доводами.

— Гоша, — кричали в подпитии, — кормилец ты наш! Теперь докажи обратное!

И он доказывал блистательно, с той же яростью и гордостью победителя.

— Загустеете, — грозил, — забуреете, станете фиглярничать, куншттюками пробавляться, полезет из вас актерство, игра на публику — осерчаю, отлучу от своего стола.

Возле него было шумно, дымно, сытно и надежно. Если дружба, так на разрыв рубахи, на распахнутость двери и кармана; если несогласие, так до конца спора.

— Недостаточно, чтобы тебя любили. Надо, чтобы страстно ненавидели.

Запевал, поигрывая жгучими цыганистыми глазами: «Коль любить, так без рассу-удку, коль грозить, так не на шу-утку...» Мечтал выдумать историю повеселее, споро изложить на бумаге, не удушая авторским мудрствованием; пусть каждый, кого гнетет тоска, прочитает ее и улыбается затем день–два, припоминая подробности, — до последнего часа мечтал об этом.

— И если где-то там, в горних высотах, ведется отсчет достоинств и прегрешений, такую заслугу припомнят всякому сочинителю.

> На печке лежу,
> Похохатываю,
> Каждый день трудодень
> Зарабатываю...

Когда становилось тошно, муторно, непокойно, надевал лучшие свои одежды, подкатывал на такси — сигара в зубах, шляпа на затылке, кидал деньги без сдачи: завистники полагали, что успех цепляется у него за успех, и им тоже становилось тошно. Но выпадали удачливые деньки, напяливал старые штаны, мятую рубаху, приходил небритый, пешком, прихрамывая, просил взаймы на бутылку — завистники думали, что ему не продохнуть от неудач, чему радовались безмерно, суетные и склонные к раздорам, с лживыми измышлениями и затасканной речью.

— Мне плохо — и им чтобы плохо. Мне замечательно — и им, обделенным, услада. Я не жадный.

Было ли это? Совсем вроде недавно. Сидели на одной парте, дети войны и раздельного обучения, вороватые от несытости, грубо проказливые, недополучившие хлеба, масла, девичьего утишающего соседства, смягчающего подростковую дурь. Макали ручки-вставочки в одну чернильницу, списывая на контрольных, бублик разламывали на двоих, вопили: «Училка заболела!..», мчались по Большой Молчановке или Собачьей площадке, пиная ногами консервную банку, — дети коммунального обитания, из семей со скудным достатком и бескорыстной заботой родителей, с младенчества избавленные от будущего зазнайства и холодной расчетливости.

Забегали на кухню, в ее колготное многолюдье с керосиновым чадом, глядели — облизывались, как соседки обмакивали гусиное перо в блюдечко с растительным маслом, обмазывали сковородку, черпали поварешкой опару — каждому доставалось по блину, пышному, пупырчатому, пахучему. Ездили на стадион «Метрострой», гоняли с оглядкой мяч за воротами — лишь ловкачам-умельцам дозволялось топтать траву на поле, белесые полосы разметки. Подросли — вторглись в большой мир в превосходстве добрых намерений, в спешное его познавание, ничего не имея и всем обладая; прорастили по молодости грибницы, раскинули усики по свету, прикоснулись неприметными отростками к себе подобным; впереди ожидала глыба лет: не осилить, казалось, не своротить, но также играли за воротами — правдоискатели во вред себе, с совестливыми душами, в отличие от пролазников, ушлых и дошлых на размеченном поле бытия, — а кто-то уже поскуливал в ночи, неустанно бормочущий, оплакивающий долю свою: петушком не пройти по жизни.

Говорил незабвенный друг:

— Мне хорошо. Я обделен памятью. Ничего не запоминаю: ни прозу, ни стихи. Открываю книгу, давно читанную, — упоение, потрясение, невозможная удача! Так оно и с любовью — заново, всякий раз заново: «Ноет сердце, изнывает, страсть мучительну тая...»

— Счастливец! — шумели за столом приятели. — Поделись опытом!..

Рассказывал без утайки, специалистом по грехопадению:

— Мужчины делятся на два вида: одни обрывают дамские пуговицы, другие их пришивают.

— Кто же ты?

— Я — обрыватель дамских пуговиц, заодно и крючочков... Станете хоронить, набегут вприпрыжку худенькие с пухленькими, свеженькие и привядшие, зареванные, засморканные, с разодранными одеждами, исцарапанными лицами, увядшими враз прелестями...

— Не будет пухленьких, — говорила жена его Маша, губы поджимая в обиде. — Свеженьких — тем более.

— Будут. Куда они денутся? Слезы по асфальту, оханье-гореванье: для кого теперь, для чего теперь, как?.. Скорбно возопят вослед, цокая от желания остренькими каблучками: «Спасибо тебе, Гоша!..»

А Финкелю признавался, одному ему: «Думаешь, я гуляка? Да мне, кроме Машки, никого не надо. Бывали, правда, увлечения на две-три встречи, потом как из колодца выныривал: обольщать случайную дуру, таиться, врать напропалую — не царское это дело. Выпьем за Машку, друг Финкель. Под помидор с огурчиком». Взывал в легком подпитии: «Машка, жена моя, я тебя возбуждаю?» — «Когда как», — отвечала. «Ты меня добивайся, Машка!»

— Не спеши, — уговаривала. — Поживи еще. Подумай о том, ради чего стоит продержаться.

— Ради тебя, — прикидывал. — Еврея Финкеля. Пива с воблой. Ради первенства мира по футболу. Очень уж ко всему привык, отвыкать не хочется...

Он опережал всегда и всех, опередил и тут. Пылкость натуры, ее увлеченность забрал с собой, чтобы и там, в горних высотах, взбодрить-взбудоражить снулых небожителей. «Гоша! Это же Гоша! Для забав-измышлений...»

Наказывал на прощание:

— Вы хороните человека, а это не часто случается. Усердствуйте, погребая, наймите плакальщиков в сюртуках — не пьянь кладбищенскую в драных ватниках. Всплакните у могилы. Пригорюньтесь. Не обделите цветочком. Таким похоронам можно позавидовать.

— Что ты мелешь, Гоша? Какие плакальщики?

Оглядывал грустное застолье:

— Эх ты, доля моя неладная!.. Приходите, ребята, не ленитесь: Хованское кладбище, двадцать первый километр Киевского шоссе. Положите возле уха телефон, звоните почаще, сообщайте новости: кто с кем, кто без кого. О книгах моих расскажите: читают или позабыли.

— Какой телефон, Гоша? Батарейка разрядится.

— Господи! — вопил. — С кем я связался? Не люди — таблицы умножения! Дважды два, трижды восемь...

Не постучит в дверь, не встанет на пороге — белозубый, остроглазый, искрометный:

— Вам повезло. В ваш мир пришел я с нежданностью чувств и поступков. Уйду, кто меня заменит?

Не наговорит потешку:

— У попа была собака. У бабуси — гуси. А у Анны у Иванны мужики на пузе.

Не захохочет первым...

— Закройте, — приказала Маша. — Это уже не он.

Крышку опустили на гроб.

9

Обедают они втроем.

Ото-то усаживается за стол надолго, словно укладывается в постель, ест много, напористо, вознесенный над супом, постанывает от наслаждения, высасывая с ложки, торопится, обжигается, стараясь первым опорожнить тарелку и получить добавку.

— Там, — косит глазом. — В кастрюле. На всех не хватит...

Дома он ест со сковородки, орудуя гнутой вилкой, пьет из носика чайника, забитого накипью, а здесь потребляет пищу наравне со всеми, цветными каплями орошая рубашку, кашу заедая хлебом, мясо обмазывая горчицей, пищей наполняя живот, обширный и поместительный. Аппетит у него отменный, всякая еда на столе вкуснее вчерашней, всякая на подходе желанней сегодняшней.

— Больше всего люблю обедать. Никто так не любит...

Кусает щеку в азарте поглощения, разевает рот в скорбном вопле, проливая крупные слезы:

— Финкель!.. Почему оно так?

— Изменения, — разъясняет. — Необратимые. Мне ли не знать?

К старости Финкель стал подглядывать за собой, шпионить, изыскивать способы для выявления истинного нутра. Заметил вдруг, что говорит короче, отбросив придаточные предложения, скупо пользуясь причастиями-деепричастиями. Еще заметил, что кладет вещи на те места, откуда их взял, — отчего бы так? А оттого, что времени осталось мало, времени не впопыхах, и началась неосознанная экономия, чтобы не тратить его на липучее многословие, на поиски ключей, кошелька, ножниц или головной щетки. Решился даже — да простят великие писатели — читать в непотребном месте на исходе дней: сбережение времени при затрудненной работе кишечника, однако недочитанное не оставляет в туалете до очередного посещения из уважения к тем же сочинителям.

Изменений много, от них не избавиться, успевай только отмечать. Говорит себе в осуждение:

— Всё на свете на что-то указывает, а нам, дуракам, без надобности.

Слабому мышлению такое недоступно, но Ото-то доверяет опытному человеку и вновь склоняется над тарелкой, вымакивая соус до крайней капельки, озабоченно перечисляет между глотками:

— У них много всего, сразу не осилить. Картошка, морковка, кабачки. Хумус с тхиной. Яблоки с мандаринами. Фасоль. Крупа-макароны. Изюм с орехами. Яйца. Сок. Молоко в пакетах. Хлеб белый, хлеб черный...

Волнуется, машет рукой, брызгает соусом с вилки:

— Морозильник забит сосисками — я проверял. Даже консервы для Бублика имеются, но мне их не дают...

Друг-муравей ползает по скатерти в поисках угощения, Ая ему выговаривает:

— Что ж ты, дурачок, в солонку лезешь? Обопьешься потом.

Затем они разговаривают, сытые, ублаженные. К прояснению ближайших намерений. Ото-то утрамбовался по горло, глаза его слипаются, но Финкель приоткрывает заветную шкатулку с засушенными лепестками, с их апельсиновым призывом к пробуждению чувств.

Последние наставления:

— Отправляемся туда, куда надобность укажет. Делаем то, что желания подскажут. Вопросы есть?

Вопросов нет. Рюкзаки за спину, компас в руки — и пошли.

Дедушка. За ним внучка. Ото-то замыкающим.

Пересекают кухню, коридор, спальню родителей. Осматривают туалет, ванную комнату, кладовку. Пережидают бурю в укрытии за диваном. Выходят с опаской на балкон, открытый ветрам-приключениям.

— На нас не нападут пираты? — пугается Ото-то. — Как в тот раз...

В тот раз они шли с попутным ветром через бурную Адриатику, спасаясь от морских разбойников; Финкель стоял у штурвала в застиранной тельняшке, Ая кричала: «Земля!», Ото-то бросал якорь. Высадились на пустынный остров без воды и провизии, кинули с балкона бутылку из-под яблочного сока с отчаянным призывом: «Спасите наши души!» — «Де-душ-ка, — спросила Ая. — Зачем души спасать? Они же не умирают...»

Посреди балкона Финкель прикладывает палец к губам:

— Тихо! Не оборачиваться. Кто-то крадется за нами...

Рты открываются. Глаза округляются. Ото-то не дышит, подверженный опасениям:

— Слышу. Я слышу... Риш-руш... Риш-руш...

— Ришруш, — подтверждает Ая и разъясняет по-русски дедушке, несведущему в тонкостях обретенного языка: — Шорох. Шуршание.

Финкеля это устраивает. Гур-Финкель шепотом нагнетает страхи:

— Два брата. Риш и Руш. С озера Ньяса.

— Че-е-го?..

— Оранжевые карлики. Из африканских глубин. С луком и отравленными стрелами.

49

Страх накатывает волной от нижних конечностей. Заплетаются ноги у Ото-то, слабеют его колени. Спазмой прихватывает внутренности, взывающие к скорейшему извержению излишков. Колотится в тисках сердце, готовое выпрыгнуть из горла. Шерстится кожа на спине, жуть подступает к языку, лишая речи, к носу и глазам, из которых сочится влага, к голове, взывающей к немедленному отступлению. Ото-то не выносит подобных переживаний, терпение его на пределе.

— Я пойду... У меня дела...

— Это Бублик! — кричат. — Наш Бублик!

Но он бежит к себе, на спасительницу-кровать, которая не по размеру, под мамино пуховое одеяло; укрывается с головой, поджав ноги, поспешая в сон, в тепло, где капель на листьях после дождя, промытые небеса и где недоговорено с той, что ожидает на садовой скамейке.

«Ему досталась душа без определенного места жительства, — так полагает Дрор, сосед по лестничной площадке. — Душа уходит, когда ей вздумается, и объявляется нежданно, в минуты просветлений, чтобы передохнуть в нескладном теле и вновь отправиться в скитания». Дрор — психолог. Ему многое доступно в размышлениях, оттенки и глубины мятущихся душ, Дрору можно поверить.

— Финкель, — печалится Ото-то в отсутствии своей души, — может, подменили меня в роддоме? И я на самом деле — не я? Разыщи меня, Финкель...

10

Привал в комнате. Возле шкафа. Где хранится шуба мамы-модницы, которой не попользуешься в здешнем климате. Шуба — повод для размышлений, и дедушка начинает:

— Убили зверя лесного, шерстистого, загубили зверя полевого, ворсистого, уловили капканом жителя скальных высот, клочковатого и косматого, сняли с них разномастные шкуры, пошили шубы — отдельно из шерстистого зверя, отдельно из ворсистого, но в выделанных шкурках теплится память о вольном бытие, снится шерстинкам снег, бег по следу, жар погони, трепетание жертвы, первый глоток живой еще плоти... Шкурки от разных зверей, обреченные скорняком на совместное проживание, не ладят с соседями, отторгают и отторгаются, отчего расползаются швы на шубе, их соединяющие, подступают конечные дни мехового изделия.

Ая предлагает:

— Можно распороть швы, отделить шкурку от шкурки. Пусть отдохнут от соседства.

Но мама Кира не разрешит. Папа Додик насупится и вычислит убытки. Когда девочку отчитывают, она кривит губы в полуулыбке — в глазах накапливается влага, потом уходит к себе, расставляет стоймя многоцветную книжку-картинку, надежным укрытием из картона, усаживается внутри убежища, тихо льет слезы, надрывая дедушкино сердце. А с картинок смотрят на нее принцы с принцессами, чародеи в остроконечных шапках, звери-приятели, увлекая в те края, где нет и не будет огорчений.

— Де-душ-ка... А шкаф? Доски, наверно, из разных деревьев. Тоже не ладят с соседями, отчего он скрипит и рассыхается.

— Дерево неподвижно, — отвечает дедушка, — в покое его мудрость. Живет достойно, уживаясь с иными деревьями, уживутся и здесь. А шкаф рассохся, состарившись, всякий бы закряхтел на его месте.

Идут дальше, видят больше. Возле кровати Финкеля разворачивают старинную пиратскую карту: «Три шага на север от тапочек дедушки, семь шагов на восток, шаг назад, шаг вбок...» Проходят указанный путь, обнаруживают в ящике стола позабытую мягкую игрушку, припрятанную до случая.

—Пони! — ахает Ая. — Де-душ-ка... Мой пони...

...на которого надевают по утрам цветную попону с кисточками, легкую сбрую с бубенцами, запрягают в двухколесную тележку, и он бегает в зоопарке по кругу, тоненько позванивая, катает детишек, страдая от малого роста, мечтает стать верховой лошадью, участвовать в скачках с барьерами, которые не одолеть и во сне. По вольеру прогуливается без спешки рассудительный друг-жираф, покачивая головой на пятнистой гуттаперчевой шее; мог бы работать подъемным краном на стройке, мыть окна в высотных этажах, доставать воду из глубоких колодцев для полива садов-огородов, — когда на зоопарк наползает туман, голова скрывается в белесой мути, откуда опускаются до земли ломкие его конечности. Звери из соседних клеток дразнят великана: «Эй, ты, небо не загораживай!..», дразнят лошадку за карликовую малость: «Пони в попоне!..», и только вдвоем им уступчиво, необидчиво — со слов Финкеля, которому всё известно...

На привале он достает из рюкзака блокнот, выписывает заглавие: «Дневник наблюдений. С приложением карт и замеров малоисследованных земель». И далее: «Самая северная точка на краю балкона. Самая южная у входной двери. Рек нет. Нет и озер с родниками. Водопад в унитазе. Ледник в холодильнике. Вулканы пробуждаются в чайнике, где закипает вода. Высочайшая вершина — платяной шкаф, покрытый пылью, не снегом».

— Де-душ-ка... Погляди!

На полке стоит глобус. По Австралии ползет друг-муравей, неотличимый от прочих.

— Он тоже путешествует!..

Финкель согласно кивает и продолжает запись: «На юго-востоке коридора выявлено логово неизвестного зверя. Настроено дружелюбно. Машет хвостом. Откликается на кличку Бублик... На западе ванной комнаты, за стиральной машиной, высмотрено бегучее существо, подлежащее искоренению. Проведен обмен мнениями по поводу его дальнейшей судьбы...»

Загнали существо в угол, накрыли банкой из-под варенья, чтобы в прозрачном своем узилище задумалось о трагической участи, которая ожидает нежелательного пришельца.

— Что будем делать? — спрашивает Ая. — Не убивать же...

У дедушки готов ответ:

— Вынесем на улицу, скажем: «Вот, мы тебя отпускаем, гибели не предавая. Пойди к своему племени, попроси каждого уйти из дома». И тараканы у нас переведутся.

II

Ночь застает их на юго-юго-востоке кухонного пола.

Вскипятили на спиртовке воду, приготовили чай, поужинали крекерами с сыром, пропели на два голоса: «Любимый город, синий дым Китая, знакомый дом, зеленый сад и нежный взгляд…»

Дедушка припомнил издавна переиначенное: «Любимый город в синей дымке тает…», и Ая не возражает, так ей по душе. Все соседи знают эту песню. Всем известно про синий, иссиня-синий дым поднебесного Китая, куда улетает, в котором растекается, растворяется, истаивает единственный, неповторимый друг.

Заползают в спальные мешки, укладываются на полу голова к голове: старому и малому одна утеха. Что бы сказала мама Кира? Что бы подумал папа Додик?.. «Пора тебе повзрослеть», — выговаривает мама, оглаживая крутобокие прелести, а папа хмыкает неуважительно, и остается предположить, что Додик слишком рано вышел из детства, а может, никогда там не был. «Оставьте меня таким, каков получился, — упрашивает Финкель невесть кого. — Так от меня больше пользы. Или меньше вреда».

Потенькивает капельный источник из подтекающего крана, наполняет лужицу в кухонной раковине, куда придут на водопой звери, обитающие в окрестностях. Газель. Лисица. Горный барсук. Кабан — опустошитель виноградников. Шакал с полосатой гиеной. Мышь-прыгунчик. Увилистая змея эфа.

— Не надо эфу, — пугается внучка.

— Она не придет, — обещает Гур-Финкель. — Ее мы не пустим.

Лежат. Смотрят в потолок. Ая просит:

— Расскажи про бабушку. Которая меня не дождалась.

— Она хотела. Но у нее не получилось.

Рассказывает:

— Мы учились в одном классе. Она сидела за первой партой, я — за второй и макал кончик ее косички в чернильницу. Бабушка возвращалась из школы, родители ахали, отрезали запачканный хвостик, а я ждал, пока косичка отрастет, снова обмакивал в чернила.

— У меня тоже косичка... — вздыхает Ая и тут же засыпает, утомившись от впечатлений.

Всё было, конечно, не так. В школах раздельного обучения девочки не попадались, но Ая запомнит эту историю, перескажет своим детям — образ бабушки с косичкой, перепачканной чернилами, и дедушки-озорника продержится пару поколений.

В выходные дни Финкель просыпался позднее обычного, потягивался в блаженстве, слушая шевеления на кухне, просил: «Посиди со мной...» Клал руку на колено, ощущая дуновение ее духов, теплоту округлости, — где то колено? куда подевалось? кому они мешали? Не вселенской же зависти, которую не избыть...

Бледное лицо, опрокинутое навзничь, вопрошающие взгляды, волосы отросли ежиком после безжалостной терапии — такая желанная, уже недоступная. Приходила служительница, веселая, румяная, присадистая, подхватывала пушинкой, усаживала в кресло возле кровати, а вокруг шприцы, капельницы, кислородные трубки, вены на руках исколоты иголками. Целовал глаза, сухие, бесслезные, полные мольбы и скорби: «Удержи меня, Финкель!..» Бежал под дождем к больничному корпусу, упрашивал в голос: «Не забирай ее! Не забирай!..» А дождик лил прямыми струйками, как через ситечко, каплями-слезками стекал по лицу.

Она объявлялась поначалу — отсветом во снах, в очертаниях и теплоте тела, потревожив и вновь опечалив; садилась рядом, даже ложилась головой на его плечо, томила близостью, но затем стала отдаляться, не обретая четкого облика, освобождая от своего присутствия, словно отвлекали ее иные обязанности, отвлекали и увлекали туда, откуда нет и не будет возврата. Никто не дышит возле него, только запах ее одежд в шкафу, зубная щетка в ванной комнате, бутылка воды с соломинкой — последний ее глоток, плач по лунному календарю, плач по солнечному...

Она опекала его прежде, опекала, казалось, и после ухода. Чистые носки на стуле — кто положил? Сходить к врачу — кто настоял? Принять лекарство — кто подсказал?.. По ночам чудился шорох за входной дверью, легкое шевеление, сумасшедшая надежда. Вскакивал. Бежал босиком. Отпирал непослушной рукой... «Сосуды играют, — поясняли опытные дураки. — Слабые ваши сосуды».

Финкель глядит в потолок, заложив руки за голову, слушая потенькивания подтекающего крана. Говорит негромко, растревоженный разговором:

— Косичку в чернила — ей бы это понравилось...

12

«Кто этот человек, что так хорошо улыбается? Так приветливо?» — «Но не каждому, други мои. Нет, не каждому».

Некрупного роста.

Редкого умения.

Большой человек на малые свершения, наделенный даром сравнения и догадок, чувством времени и его утекания, способный развязывать узелки неприязни, чем интересен многим, чем и необходим.

«Ты, Финкель, нас удивляешь, — говорили вокруг. — Как такой состоялся, можно еще понять, но как таким сохранился?» Искренне изумился:

«Я-то?..» — «Ты, конечно, ты. Мы тут прикинули и решили, что ты единственный среди нас. Который в согласии с самим собой». Это его озадачило. «Вы знакомы со мной застольным, в гуляниях-увеселениях. Вам недоступен я в сомнениях и мечтаниях». Это его насторожило, даже напугало. «Быть может, вы льстите или принимаете меня всерьез».

Строг.

Суров.

Взыскателен к самому себе.

Встает перед зеркалом, говорит в назидание: «Не гоняйся за фактами, подтверждающими твою правоту, они ее ослабят. Подбирай факты, ее опровергающие, в борьбе с ними правота окрепнет. Понятно теперь?» — «Не совсем». Разъясняет: «Сначала подступает сомнение. Вслед за сомнением приходит оправдание. Бойся его. Не соблазняй душу посулами». Из зеркала ему отвечают: «Я твое сомнение и я твое оправдание».

Выяснилось с возрастом, что проклюнулся в нем опечаленный старик, который радуется без охоты, ублажая себя горестными играми. Проклюнулся и ликующий старик, задумчивый весельчак, который сокрушается нечасто, но с видимым удовольствием, по незначительным, казалось, поводам. Когда один из них огорчается, другой не ликует чрезмерно, во вред сожителю, и, наоборот, когда другой радуется, сосед не добавляет ему горечи, вроде космонавтов в долгом совместном полете, выдержавших проверку на совместимость.

Над холодильником висят часы, показывая утекающее время, старые-престарые ходики с гирькой на цепочке. Дергается стрелка, отпахивается дверца под слабое щелканье, высовывается наружу деревянная кукушка на костылике. Неодобрительно взглядывает на мир, разевает рот под невысказанное «ку-ку», молча убирается внутрь. Тихая забава Гур-Финкеля: ликующий старик купил по случаю часы с кукушкой — потешить душу, опечаленный приделал к ней костылик и лишил призывного кукования, что соответствует ее возрасту и его горестям.

Первый задает вопрос: «Подумай хорошенько и ответь сам себе: чем тебя устраивает подавленное состояние?» Второй отвечает: «Ах ты, старенький, никудышненький, пенсионеренький! Взгляни лучше в зеркало, там ответ на твой дурацкий вопрос». — «Эх ты, глупенький-неразумненький! Морщины на лице — тропки на пути моем, следы радости-печалей. Я ими горжусь, без них вроде не существовал».

Ликующий старик прожил годы в изумлении от самого себя, уловляемый в мечтательные крайности; опечаленный не заметил, куда они, эти годы, подевались. Финкель не вмешивается в их споры, не утишает словом неслышимым, но терпеливо ожидает примирения, когда вновь потянет к столу, к бумаге с карандашом: перелистывать страницы, как перелистывать судьбы, дотошно перебирать слова, как повариха перебирает рис или гречку, чтобы сотворить еду, крупинка к крупинке.

Под балконом разрастается гранатовое дерево. Его плоды — глянцевитые, будто лаком покрытые — вызревают, бурея к осени, лопаются от непереносимой мощи, выказывая тесноту зерен, догнивают на высоте в укоризне на нерасторопный люд. Ради чего дерево трудилось, для кого напитывало их соками, отказывая себе во всем, провисая ветвями от несносной тяжести? Дереву обидно, Финкелю обидно тоже.

«Вот оно, твое подобие, — вступает опечаленный старик, пытлив и докучлив. — Вспоил своего героя, вскормил, жить бы ему да жить — зачем губить понапрасну, на потребу увлекательной развязке? Героев следует уважать, особенно пожилых, не посягать на их достоинство, уязвимую немощь. Оберегай престарелый люд, Финкель, не раздевай перед читателем в дерзости и бесстыдстве, не выказывай вздутых варикозных вен, дряблых ягодиц, скрюченных подагрой пальцев — их стриптиз отвратителен». — «А если диктует сюжет? — кричит ликующий старик, простодушен и отходчив. — Законы литературные!» — «Дурак ты», — отзывается старик опечаленный. «И правда, дурак», — соглашается Финкель.

Сил не стало на долгий прозаический марафон с гулкими толчками сердца, болью в затылке, скачками кровяного давления — и без того насочинял немало: не выходило меньше, не получалось лучше. Переписать бы заново, но не имеет смысла: прошлое заново не перепишешь, как не обежишь вокруг себя; подобрать бы остатки, рассеянные в листках и блокнотах, на которые не хватило времени и воображения, не обрекать их на выброс.

Предмет нынешнего изучения — реб Шулим под деревом, упорный молчальник, затаившийся в темнице тела, откуда не желает выныривать. Берет бутылку с водой, которая всегда при нем, делает большой глоток, смывает неосторожное слово, намеревавшееся вырваться на волю.

У реб Шулима есть жена, дети, что не подлежит сомнению. Иногда он им улыбается — это подсмотрено, но слышат ли они хоть один его звук? Реб Шулима следует разгадать, и Финкель не жалеет усилий, прикладывая к молчальнику и отбрасывая разные судьбы; ему посвящает «Грустные размышления, невеселые фантазии реб Шулима, сына реб Гершля, внука реб Ноте, родившегося на иерусалимской улице Ор га-Хаим, она же Свет жизни, возле дома номер шесть, где объявился на свет Святой Ари, великий каббалист, что само по себе достойно упоминания. И вот слово реб Шулима, заслуживающее внимания, которому не дано выйти наружу...»

«Кому оно интересно, его слово?» — вздыхает опечаленный старик, утонувший в сомнениях. «Мне интересно, мне! — возражает его сожитель в надежде на поздние ликования. — Нет слова — нет и меня». Но возражает неубедительно.

13

«...реб Шулим сидит на скамейке, затаившись под апельсинами.

Бутылка с водой наготове.

Выходит из дома Ото-то, выходит девочка Ая с Бубликом. Собачка убегает по неотложным делам, обнюхивая окрестности; Ая взлетает на качелях в поднебесье, Ото-то раскачивает ее, не жалея усилий. Затем они меняются местами, но взлетать ему неподъемно из-за большого веса и огромных ног, которые цепляются за землю.

Садятся на скамейку возле реб Шулима, затихают за компанию. Ветерок навевает уксусную пахучесть тела, нестерпимую до удушения; надвигается тусклый человек в слухах-опасениях, сосуд нечестия, источник мрака, вместилище яда в тоске по злому помыслу: глаз его чёрен, оранжевому нестерпимый.

— Почки-цветочки, глупости-тычинки... Пускай Тот, Который над вами, сотворит прежде чудо, нарушающее законы природы, тогда и я поверю в Его таинства. Пускай уделит мне, лично мне хоть одно откровение.

Скажет в ответ реб Шулим, излечившись от молчания:

— Оскорбительно для Него — творить великие чудеса, дабы некий тум-тум признал Божье присутствие в мире.

Скажет Ото-то, сподобившись просветления:

— Он гордый, но Он и доступный: пойди и прикоснись.

Скажет девочка Ая:

— Разве апельсины — не чудо?..»

И снова звонок. Посреди ночи.

— Это опять я. Из Хадеры.

— Можно догадаться.

— У меня бессонница.

— Чем же я виноват?

Нервно. Чуть агрессивно:

— Растревожили — и в кусты?

— Поговорим лучше днем.

Обидчиво и напористо:

— Поговорим сейчас!.. Косичку в чернила — это вы выдумали. Или услышали от кого-то.

Признаёт без охоты:

— Услышал.

— Так было со мной. С нами. Я сидела на первой парте, он на второй… Что вы наделали, чертов сочинитель!..

Завершается день первый, который не принес каких-либо изменений и не проявил истинных намерений…

ЧАСТЬ ВТОРАЯ

ТЮЛЬПАНЫ В ПРОТИВОГАЗАХ

I

Ночью спят дети.

И птицы спят, усталые к вечеру.

Воробьи-ласточки, зарзиры и нахлиэли.

Ветер опадает без сил, набегавшись до упаду. Затихает живность в надежных укрытиях после дня взаимного пожирания. Спит Ая в спальном мешке, и навещают ее сны, светлые, прозрачные, отлетными караванами в синеве, словно аисты отмахивают неспешно могучими крыльями, выкликая с высоты:

— Гаа-гуа, Ая, гаа-гуа...

Слеза скатывается по щеке. Слеза расставания.

Каждому возрасту — свои печали, но не дремлет во мраке птица оах, сова серой окраски с глазами-блюдцами, вздернутыми ушами и приплюснутым клювом, будто от удара кулаком.

66

Днем прячется без движения невесть по каким сокрытиям, ночами летает бесшумно меж холмов и деревьев, отлавливает сонную пичужку, полуночницу-мышь, прочую мелюзгу, скармливая их прожорливым птенцам; любимое ее лакомство — неподступный еж, которого свежует ловко, умело, сдергивая кожу с иголками. Она-то и нашептывает у изголовья, слов не разобрать: «Благополучно пройти по миру, благополучно выйти из него — не всякому доставалось. Эта земля не для холериков, Пинкель: зажглись и погасли. Знай это тоже». — «Гур. Гур-Финкель…»

Человек дня и человек ночи — они разные.

Сберечь бы в себе полуденный свет, уберечься к старости от помрачения разума, чтобы входить в мир через светлые ворота, через светлые его покидать.

Финкель лежит в спальном мешке, на кухонном полу, оглядывает беленый потолок, каждую выбоинку на нем, каждую щербинку. Сон старого человека по-лошадиному чуток, в сторожкой забывчивости; минуты бодрствования населяют потолок ликами и событиями минувшего, которых высветлит под утро первый рассветный луч. Истаяли голоса, истлели люди и их поступки; они проявляются эхом в полночных обликах, каждый на месте своем, едва видимые, смутно различимые, способные огорчить, удивить или порадовать.

Задувает за окном ветер, тени вздыбленных ветвей разметывают видения по стенам комнаты, перемешивают в путанице лиц, мест и понятий, когда невозможно разобраться что к чему, да и нужно ли разбираться? В холодные ночи руки прячутся под одеялом, в жаркие — они поверху, ладонями взмывая к небесам, подталкивая к догадкам, которые в простоте и ясности попросятся на бумагу...

...как выходили поутру из временного пристанища в Мевасерете, окунались в рассветные сиреневые туманы, и за оградой сразу начиналась первозданность, откуда забредали косули, залетали куропатки, наползали черепахи. Шли молча, в согласии огибая валуны, оглядывая цикламены на камне, стойкие к холоду ночей; над головой кучились облака прилетные и облака отлетные, под ногой таились воды подземные, себя не выдавая. Останавливались, углядывая тень птицы на лету, вслушиваясь в тишину, в ее невесомую громоздкость, которую хотелось пробудить шорохом змеи по камню, шелестом распускающегося бутона, отдаленным рокотом пролетевшего некогда самолета, легкой поступью околдованных путников, которые оставили след на валунах и затерялись в пространствах... Шли дальше в тиши, напитанной звуками, выходили к рожковому дереву, провисшему над склоном, чьи корни выдирались из скальной расщелины в жилистом, натруженном переплетении, опускались донизу и вновь уходили в каменные глубины. Усаживались в тени под деревом, разминали его стручки, высыпали на ладонь зерна-караты, пробовали их на разгрыз, наполняясь покоем возле неспешного капельного источника, веками наполнявшего углубление в скале; капли — медлительной кукушкой — отсчитывали срок, который завершился для нее так рано. Многоголосая тишина сберегает умолчания, которым не утихнуть; в ветвях рожкового дерева теплятся ароматы ее летучих духов, цвет их дуновения блекло-лимонный, радужно-жемчужный, возвышающий и очищающий: хоть сейчас под свадебный балдахин...

Спит в спальном мешке, лицом к потолку, старый человек. Бублик спит рядом.

Часа не минуло — снова звонок.

Тот же голос:

— Извините. Погорячилась.

— С извинениями можно повременить до утра.

— Можно. Только ночь не переждать.

Он молчит. Она молчит. Потом говорит:

— «Что ж не приходишь на могилу? Поздороваться?» — «Далеко живу, бабушка. В другой стране». — «А ты самолетом...»

— Это я написал.

— Вы. Всё вы. Из вашей книжки.

Срывается в крик:

— А если нет денег на билет?..

В доме напротив мигает фонарь над подъездом, лихорадочно, тревожно, отблеск на потолке беспокоит и отвлекает; так и хочется выскочить на улицу, стукнуть по фонарю палкой — пусть засветится в полную силу или замрет навсегда. Посреди ночи Финкель запишет:

«...въезжать надо в новое жилье, недавно отстроенное, с окнами ко всем ветрам, откуда ушли штукатуры с малярами, первыми освоиться в нем, напитать дыханием, теплотой, доверительным взглядом. Чтобы не оставалось в доме присутствия прежних владельцев: не от запаха табака или немытого тела — от застарелых отголосков ругани, мелочных препирательств, ненавистных взглядов, лживых согласий совместного проживания, которые насторожат, обеспокоят, внесут разлад в ваши отношения. И не обновляйте его, чей-то дом, не зазывайте каменщиков-столяров-электриков: выдохи сохранятся, липучие выдохи прежних постояльцев, их будет достаточно, чтобы по ночам вскидываться в непокое. Въезжать следует в новое жилье, только в новое, что не всегда по карману...»

— Деточка, — поучала бабушка Хая. — Солнце после дождя — дважды дождь. Дом с согласием в нем — дважды согласие.

Ночью она проявится среди прочих, меленькая, субтильная, в шляпке со стеклярусом: бабушка, которой давно нет на свете. Скажет без укоризны: «Кольцо у тебя на пальце — оно мое, внучек. Обручальное». — «Твое, бабушка». — «Что ж не приходишь на могилу? Поздороваться?» — «Далеко живу, бабушка. В другой стране». — «А ты самолетом...»

2

Высвобождает Аю из спального мешка, переносит в постель, чтобы проснулась под птичьи пересуды, радужные искры по стенам от граненого шарика. «Обучу сына бесстыдству, — пообещала, похохатывая, ластоногая, наголо обритая особь, с глазами честно-блудливыми, залитая по горло несокрушимой сытостью. — Толкучему легче прожить». И Финкель беспокоится теперь за Аю, доверчивую посреди недоверчивых, ибо на одного нахала на свете будет больше. У которого на пакости достанет разума, на милосердие недостанет жалости. Которого на порог не пустишь. С дочкой не оставишь наедине. С внучкой — упаси Господь!

Стареет тело.

Дряхлеют чувства.

Молодеют сны — к стыду или изумлению.

Ликующий старик прикидывает, какие события взять с собой в подступающий сон, чтобы сплелись в прихотливом сюжете. Опечаленный его сожитель собирает по крупицам самое памятное в главное посмертное сновидение, до воскрешения из мертвых, — благословенно то прошлое, которое накапливает воспоминания. Один из них говорит: «Я пожилой человек и мучаюсь оттого, что обижал людей, встречавшихся на моем пути». Второй добавляет свое: «А я утешаюсь тем, что количество обиженных было невелико. Если этим, конечно, можно утешиться».

На исходе ночи глушит его дремотная усталость, и Финкель засыпает с улыбкой на губах, которой не продержаться до рассвета. Видение наплывает по порыжелым рельсам, неспешно, неотвратимо, пригородным составом с немощным паровичком, где молочницы гремят бидонами по душным вагонам, молодняк подпугивает в тамбуре, дерзостно сплевывая под ноги, гнусавит под гармошку стародавний пропойца на деревянной ноге, вымаливая подаяние скорбными песнопениями: «Я был батальонный разведчик, а он писаришка штабной. Я был за Россию ответчик...»

Вагоны укатываются за поворот — не удержать. Финкель бежит следом по шпалам — вспрыгнуть на подножку своей юности, но сон утекает, пыхая паром, песня утекает следом в угольном дыму, под лязг буферов, нестерпимую фистулу паровозного гудка: «...а он жил... с моею... же-е... но-о-ой...» Не твоя остановка там, в отдалении, не тебе сходить на ней под приветственные вопли незабвенного друга, — они все теперь незабвенные, кого ни позови; не тебе добежать до затерянной платформы в березняке, срывая дыхание под комариный стон, и эха нет, нет эха во снах, поезд уходит, пощелкивая по стыкам, затихая на закруглении путей: «Ах, Кла-ва, лю-би-мая Кла-ва...»

— Ты проснулся, но сон не просыпается, — полагает девочка Ая. — Ему и так хорошо.

— Ты встаешь, — подхватывает дедушка, — мокнешь под душем, ешь за столом кашу, ты одеваешься, обуваешься, бежишь на улицу...

...а сон живет сам по себе, сон не прерывается; не он для тебя — ты для него, подпитывая его из настоя памяти. Сном не овладеть и сна не пожелать, у него неведомое дневное пребывание без прилипчивых обыкновений, чтобы выказать в подступившей ночи, по прихоти, отрывок — обрывок? — видений, тебе недоступных и неподступных, в которых не запрятаться, не пересидеть в укрытии пуганые дни. Сны не подлежат наказанию и не умирают вместе с людьми; они утекают вслед за ушедшими в те края, где нет бранных криков, ненавистных взглядов, там они и остаются, оплакивая тех, к кому наведывались по ночам, — от этого и человек бы заплакал...

Уверяют знающие люди: сон — шестидесятая часть смертного состояния; уверяют не ме-

нее осведомленные: истинный сон — шестидесятая часть пророчества.

Неразгаданный сон — нераспечатанным
письмом.

3

Говорил незабвенный друг:

— Если переполнюсь добродетелью, на кого
ее изливать? Назовите поименно. Наиболее по-
добающих.

— Ты не переполнишься.

— А вдруг... Стоит подготовиться заранее.

Поучал через границы, подбадривая друга:

— Запомни, Финкель: скорость не важна для
человека, важно ускорение. Первым ухожу от
светофора, всегда первым: они еще не шелохну-
лись, а я вон уже где! Пускай потом пыжатся, до-
гоняют-обгоняют — я же никуда не спешу. И ты
не спеши, Финкель. Никогда. Нигде. Нет на свете того, что требовало бы твоей спешки. В нашей профессии это смерть.

— А к женщине?

— К женщине — непременно.

Проходят дни. Утекают недели. Поступает
час, заранее негаданный, чудом явленным на
потолке:

— Забери меня.

И он выскакивает из дома.

Бежит.

Едет.

Снова бежит.

«Утолите мое нетерпение!» — взывает ликующий старик. «Не утоляйте, не надо!» — старик опечаленный. К старости всё меньше нежданностей на пороге обитания, даже смерть не вызывает удивления, но вот, но теперь, — кто бы мог подумать, кто?!..

— Де-душ-ка... Ты куда уходишь?

— Разве я ухожу?

— А то нет. По вечерам. Надолго.

— На прогулки, моя милая.

— А мама говорит...

— Что говорит мама?

— Ничего...

Она ожидает на скамейке, тайная его подруга.

Когда бы ни пришел, она там.

Полная луна выкатывается над головами. Небо бездонное, темнее синего. Стена Старого города, подсвеченная к вечеру. Покой и безлюдье.

Садится возле нее на скамейку.

Ладонь кладет на ладонь.

Молчат. Обвыкают после разлуки. На газоне напротив французского консульства, где гул ветра в вышине, следы человеческого обитания за спиной и запахи, призывные запахи позабытого маминого кушанья: рассыпчатая картошка с укропом всяким воскресным утром, селедка, политая подсолнечным маслом, лук кружочками, бородинский хлеб с тмином, в пахучую мякоть которого хотелось уткнуться носом.

Сосны вокруг — прямоствольны, высокомерны — гордо вскинули головы, будто ни о чем не печалятся, но так только кажется. Им бы — корабельным, мачтовым — парусную оснастку, светлую струю за бортом, крики вахтенных: «Земля! Земля!..» Кора в рыже-коричневом окрасе, высвеченная изнутри нежарким пламенем, не обезображена лишаем, сколом, потертостями; сосны неспешно покачивают верхушками, разглядывая пришельцев, переговариваются степенно, без излишнего любопытства и наговоров, склоняя к соседям метелки игл.

Сосны многое повидали на веку и многих, радуются иначе, иначе огорчаются, — эти, на скамейке, им по душе. Седоголовый, светлоглазый, подростковый на вид, в растерянности от позднего счастья, нахлынувшего нежданно, и женщина иного возраста, глаза бездонные, нараспашку, в пробой чувств, оставляя навеки в ослеплении. Хочется ее защитить — так она раскрыта! Хочется уберечь — от кого?..

«Отвори мне лицо полуночное, дай войти в эти очи тяжелые...»

Две собаки, черная и пегая, не бегут — пластаются по траве. Пара шагает следом, рюкзак с ребенком за спиной, понизу обвисают голые ножки. Проходят мимо, взглядывают с интересом, всё понимая и принимая, — что тут можно понять?.. Старый человек выволакивает себя на свет Божий, пробиваясь через немоту, выплёскивает наружу запрятанные в глубинах, позабытые, казалось, слова:

— Не войти в новый день, не подумав о тебе. Не услышав голос твой. Не наполнившись ожиданием... Невместимо! — в отчаянии: — Невместима! Не разгадать тайны твоего умолчания...

Отвечает:

— Нет от тебя тайны.

И опять затихает. Слушает. Смотрит неотрывно в своей затаённости и ждёт, молчанием поощряя многословие, ждёт и смотрит, не смаргивая. А ветер погуживает и погуживает, сосны пошумливают и пошумливают, раскланиваясь верхушками; кажется, отпало её внимание, — ладонь вздрагивает в его ладони:

— Я с тобой.

Как тронули бережно колокольчик, и он отозвался спросонья, но не умолк, нет, не умолк, затаившись в глубинах, не может, не желает утихнуть: зачем-то его обеспокоили?..

...она незримо присутствует у скамейки, ушедшая до срока, затрудняя признания, рвущиеся на волю. Выговаривает слова, светлые и печальные, — не его ли оправдание их нашептывает? «Тоску не растеряешь, Финкель, не случится этого, и оттого не затворяй порывы, не утаивай важное и нужное, что недополучила от тебя. Мне ты говоришь, Финкель, мне тоже, только не называй ее так, как называл меня в минуты откровений. Дай ей иные слова, иные междометия, остальное — по обстоятельствам...»

— Не уйду отсюда. Не желаю. От неба — темнее синего. От сосен. Скамейки. От глаз твоих. Почему я должен уходить, да еще навечно?.. Пусть силой вытолкнут за дверь, пусть! Вернусь с черного хода.

— Постучишь. Я открою.

Прислушиваются к тому, кто говорит кратко. Приглядываются. Ищут разгадку, побуждаемые к размышлению. И он торопится, прерывая себя, струна дрожит в груди истонченной жилкой, ибо времени у него мало, а поведать надо о многом, пока дыхание наполнено воздухом, обещание — недолговечной льдинкой — не истаяло в ее глазах.

— Перехаживаю свои сроки. В надеждах. Опасениях... Смешно сказать, но я помолодел, старый дурак. Глаза помолодели, тебя высматривающие. Руки, тебя ожидающие. Ноги, к тебе бегущие...

Хочется повиниться перед ней из-за сроков, ему отпущенных. Хочется ей что-нибудь подарить, хочется ей всё подарить, начиная с самого себя, — но куда, куда отнесет щедрые дары, требующие разъяснения своим появлением? Где-то надышано возле нее, кем-то населено: плащ на вешалке, чай в чашке, головы на постели, тапочки на полу, — в ночи «шепчется женщина с мужем своим», в ночи хрупкого согласия… Так и тянет позвонить в неурочный час — руки поверх одеяла, глаза в потолок, отблеск фонаря в лихорадочном нетерпении, чтобы окатило холодным безразличием: «Абонент временно недоступен».

Когда же он доступен? Кому?..

Любовь неподвластна прокурорам. Осуждать надо ненависть. Они встречаются, расставаясь, не первый день. Они прощаются, не простившись ни разу. Такой захлёб! Таких чувств! Старому человеку не под силу.

Запах ее духов — дымный, тревожащий, легкого касания крыло — притягивает и не отпускает. Принюхивается Бублик к незнакомым ароматам, поглядывает внимательно девочка Ая, обеспокоенная благоуханиями, задумывается ликующий старик, озадачен сверх меры старик опечаленный.

— Дедушка, — в молчании спрашивает Ая. — Ты ее выдумал, де-душ-ка?..

Начинается новый день, в котором Финкель взлетит в заманчивые эмпиреи, а возвратившись оттуда, сообщит соседям об увиденном, дабы удивились, позавидовали, примерили к себе кому что покажется...

4

Пробуждаясь, он расслышал под утро натужливый храп, который огорчил старого человека.

— Кум, Пин-кель... — призывают птицы. — Кум-кум...

Легко сказать: «Вставай, Финкель, вставай...» Пройти бы в легком касании до последнего часа, посреди цветов и колосящихся трав, в наваждениях апельсинового дурмана, — усталость обвисает поутру мягкой неодолимой рухлядью, словно напялили на него драповое пальто до пола на стеганой подкладке, застегнули по горло на костяные пуговицы, вздернули воротник выше ушей, нахлобучили по брови тесную шапку-ушанку, тесемки затянув удавкой, руки засунули в ватные рукавицы, ноги — в тугие, неразношенные ботинки с галошами.

Голову не поднять, пальцем не пошевелить, день не отбыть до вечера. Туман в мозгах, вялость мысли, омерзительное ощущение тупости. «Не люблю себя, тугодумного...» — стонет ликующий старик. «Не терплю себя, неподъемного...» — кряхтит старик опечаленный. В этом они единодушны.

Пошел к врачу, пожаловался, как раскрывал постыдную тайну:

— Перехожу на зимнее время существования.

Тот взглянул без особого интереса:

— Разъясните.

— Всяким утром. Нет давления крови. У кого-то оно есть, у меня нет. Будто подняли с постели, а оживить забыли.

Врач сказал:

— Пошлем вас на обследование, но оно ничего не покажет. Просто вы устали. Не вы один.

Отправили его на проверку, поставили на движущуюся ленту, и Финкель зашагал, обклеенный датчиками. Шел, дышал, потел помаленьку, получал удовольствие.

— Стоп! — скомандовала женщина в халате и остановила ленту. — Пульс — сто сорок два. Больше нельзя.

— Еще… — взмолился в задыхе, на частом дыхании. — Давайте еще… У меня, между прочим, молочный зуб сохранился. Даже два. Учтите непременно…

Но женщина была неумолима. «Мотек, — сказала, — сладкий ты наш! Дофек — сто сорок два, не больше». «Мотек, — повторил на выходе, — у тебя дофек», и смирился с ограничением, которое не одолеть. Выписали ему витамины к уменьшению умственной усталости, посоветовали: «Дышите дальше», и Финкель стал осторожничать, стараясь не спугнуть малые силы, которые ненадолго притекают после чашечки кофе.

Пошел к другому знатоку. Заплатил денежку.

— Спотыкаюсь с недавних пор, падаю кой-когда — отчего оно так, доктор?

Ответил:

— Ноги уже не те, милейший. Не поспевают туда, куда увлекает желание.

— А у вас?

— И у меня.

— Оттого и спотыкаемся?

— Оттого и падаем.

Штруделя это не удовлетворило.

— Какой-то я никакой, доктор... Ложусь старенький, встаю не молоденький. Зачем тогда спать?

Знаток выслушал его, тяжко вздохнул:

— Вам надо взмывать. Воспламеняться духом. Витать в эмпиреях — полезно для самочувствия.

И записал на бланке: «Один взлет, одна посадка. Раз в две недели».

Финкель повертел в руках рецепт, сказал задумчиво:

— Знал я такого летуна... Кричал после второго стакана: «Порхать! Желаю порхать!..» Вышагнул в окно с девятого этажа.

— Это не ваш случай, — успокоил специалист. — Не ваш. Стремление в небеса — его следует пробудить.

В дверях Финкель замешкался.

— Если честно... — признался. — Во сне я взмывал.

— Вот видите! Верный тому признак.

— Давно было. Очень давно.

— Не важно. Навыки быстро восстанавливаются. Стоит начать.

— Вы так убедительно говорите. Вам хочется верить.

— Верьте, верьте! Разбежался, набрал высоту — и в полет. Над морем. Над горами Моава. Преодолевая силы притяжения и государственные границы.

Финкель пошел из кабинета, но сейчас же вернулся:

— Давай вместе. В те самые эмпиреи. Вместе не боязно.

— Рад бы, — ответил исцелитель душевных недугов, — да некогда. Двадцать человек на взлет. Следующий!

На выходе Финкель углядел объявление: «Добавлены вечерние часы приема. Для экстренных случаев». Порадовался. Сказал себе:

— Жизнь стала лучше для экстренных случаев. Для экстренных случаев жизнь стала веселее.

5

Хамсин беспокоит еще на подходе.

Природное изменение стихий, которого не избежать.

Нечто жаркое, неодолимое натекает из Аравийской пустыни, тревогой заряжает воздух, людей, животных и растения — каждому достается свое.

Девочка Ая затихает на коленях у медведя.

Ото-то впадает в тихое неповиновение.

Птичьи хулиганы безобразничают на балконе, не унять зернышками.

Приблудная собачка Бублик распластывается на полу, мордой на лапах, не желая шевелить хвостом.

Папа и мама препираются без смысла, дотошно, придирчиво и зло:

— Что я? Ну что?.. Что опять не так?

— Всё не так. Всё!

— Что всё? Ну что?..

Мама Кира молчит в затаенной обиде, долго, упорно, неприступно — это у нее хорошо получается, а папе Додику ее молчание нестерпимо, папа начинает бегать по комнатам, пинать ногой мебель, выговаривать негожие слова, каких не найти в порядочных словарях.

Хамсин тревожит и Финкеля: не сидится ему, не читается, не думается. Ноют локти. Ноют его колени. Мысли створаживаются в голове, настроение становится пожухлым без видимых на то причин, будто провисает над домом небо — заношенное, занавешенное половыми тряпками, серыми, посекшимися, годными лишь на выброс. Что это означает? Это означает: пора готовиться к полету. В те высоты, куда не терпится вознестись.

Воображение — его утеха.

Устремления неизбывные.

Ограниченный в средствах не ограничен в фантазиях.

С этим не согласен папа Додик, не согласна мама Кира, но Финкель упрям, его не переспоришь: кому много дано, тот, как известно, обходится малым. Встает с постели, пьет кофе, набираясь сил на дорогу, укладывает пару рубашек в чемодан на колесиках, выясняет сводку погоды на подступающий день.

— Простите, — говорит. — Я прослушал. Повторите еще раз.

Диктор отвечает с охотой:

— Для Гур-Финкеля повторяем: день безоблачный, видимость прекрасная. Самое время на взлет.

Под апельсиновым деревом — под оранжевыми его плодами — стынет реб Шулим, выглядывая наружу из сокровенных глубин. Уединился, чтобы не растратить остатки

85

чувств? Замолчал, уберегая? Глотает и глотает воду из бутылки, смывая не слово — крик, рвущийся на волю...

«...реб Шулим закрыт на переучет эмоций. Сколько потрачено ликований к этому дню, сколько уберег предвкушений и сострадаS ний, на что пошли гордость с доверием, что делать с остатками стыда, злорадства, чувства неудовлетворенной мести, на кого излить последнюю нежность с умилением...»

Реб Шулим не верит в закон всемирного тяготения.

Финкель тоже не верит. Поверишь — не взлетишь.

Птицы суматошатся на деревьях, не желая расставаться: «Киш-куш, Пинкель, киш-куш...» Опечаленный старик остерегает: «Не поддавайся игре, дурень! Уведет в такие дали, откуда нет выхода, заморочит и бросит». Но ликующий старик с ним не согласен, Финкель не согласен тоже. Шагает к автобусной остановке, взывает к каждому напористо, без звука:

— Посмотрите в эти глаза, не знающие помутнения. Приглядитесь к этому мужчине, который чуток, пытлив, восприимчив. Прислушайтесь к биению его сердца, мышца которого сильна и неутомима. Спина прогнута. Ноги упруги. Живот подобран. Походка легка, широка, можно сказать, летуча, ибо подошвам незачем касаться земли. Заговорите — он ответит улыбкой, шуткой, легкой необидной иронией. И не уступайте место в автобусах, не надо: этот человек может еще постоять. А теперь скажите, положа руку на сердце: разве можно предавать земле столь удачный экземпляр, которому доступны воздыхания с возлияниями? Разве это не потеря для человечества? И вам придется признать со вздохом: потеря, конечно, потеря, недостача, которую не восполнить. Такому экземпляру — только взлетать...

Женщина разместилась в будке возле автобусной остановки, заполонив ее могучими формами, торгует лотерейными билетами, грудь уложив на прилавок. Не умолкает радио на доступном ей языке; зазывное контральто вещает хрипловато, с волнующим придыханием, с готовностью отдаваясь слушателю на коротких волнах: «В эти дни, когда весь еврейский народ...» Топчется у окошка затруханный мужичок-чырышек: лицо испитое, вихорки на стороны, глазки умоляюще подмаргивают за толстенными линзами, но женщина сурова и непреклонна:

— Все люди как люди... Выпил небось?

— Не, не пил.

— Я тебе шекель давала. Больше не дам.

— Вот он, твой шекель. На него погуляешь...

— Смотри! Деньги целы. Заболел, что ли?

Туфли на босу ногу, мятая майка, штаны на заду мешочком; на плече выколот якорь, через бровь давний шрам.

— Матери бы послать... Долларов двадцать. Душа болит за мать.

— Нет у тебя души, нету! Так я тебе и дала... Опять пропьешь. Господи, хоть бы прибрал малахольного!

А он — рассудительно:

— Навоешься без мужика. Без памяти валяться будешь.

Финкель сидит на скамейке, ждет автобуса. Мужичок пристраивается рядом; глаз у него цеплючий, страждущий, в глазу пугливая надежда на нечаянную удачу, что явится в облике нежданного спасителя со стаканом, потушит пожар в груди. На правах начинающего знакомца задает вопрос:

— Далеко собрался?

— В аэропорт.

Задает еще вопрос:

— Встречаешь или улетаешь?

— Улетаю.

— Значит, богатый. А у меня шекель: ни выпить, ни взлететь.

Усматривает в собеседнике внимательного слушателя, делится сожалениями:

— Сидели в горнице у бабки Аксиньи. Пили. Она подносила. Набуровились до самого нельзя!

Проспался — хрен шершавый! — вокруг апельсины с лимонами. В кармане документ: исключительное право на продажу динозавра. Из мерзлых якутских глубин… Как перебрался, не помню. Откуда документ, не знаю.

— Хочется теперь назад?

— Чего это — назад… Корешей бы сюда, бабку Аксинью, динозавра на продажу: такое у меня мечтание.

Разглядывает со вниманием собеседника, говорит, примериваясь:

— Вроде старый, а еще еврей…

«Деточка, — упрашивала бабушка Хая, — не ругай глухого. Того не стоит». Финкель не ругает. Ему подай только повод, и он в размышлениях: остаться евреем среди неевреев — дело нехитрое, всяк припомнит со стороны, но как сохраниться евреем среди евреев?

Оставляет вопрос на додумывание, прикидывая в вечных своих изысканиях: «Аксинья — не просто бабка, но вещая знахарка, ворожея-шептунья, способная смыть порчу наговорной водицей, присушить-оморочить. Заговаривает от блудной страсти, от остуды мужа к жене, винного запойства, затворенной женской утробы, от потопления в реках, половодьях, зыбучих болотах, а также от баллистической ракеты с ядерной боеголовкой. Такая всё сумеет, без особого труда: свести луну с неба для домашней надобности, переманить огурцы с чужого огорода на свой, яблоки из соседского сада, жену с мужней постели. Даже перенести через таможни с динозавром в кармане».

· Теперь всё понятно.

Автобус отходит от остановки. Мужичок на скамейке вздыхает вослед:

— Матери бы послать... Долларов пять. Душа болит за мать.

А из приемника доносится голосом радиослушателя, который выговаривает сокровенное: «Вера — это бензин нашей души...»

6

«...мир полон мифами, легендами, фантастическими сказаниями, несопоставимыми с житейским пространством, а значит, полон чудесами, вознесенными над нашим пониманием, тайнами глубин запредельных — стоит приглядеться, прислушаться, заглянуть в те укрытия, где они укрываются от неверия и насмешек...»

Первым автобусом до городской станции.

Вторым — в аэропорт, через горы-долину.

Когда ты в автобусе, покойном, вместительном, на легком ходу, кажется, что никуда не спешишь. Торопятся те, которые тебя обгоняют, но что им доступно на скорости? Асфальт под колесами и малые пространства по сторонам. Ты же вознесся высоко на своем сидении, возле широкого окна, видишь дальше и больше этих, шустрящих понизу.

Финкель располагается спиной к движению, темные очки прикрывают глаза — рассматривать без помех лица попутчиков, не тыкаться взглядом в затылки, одинаково неприступные. «Слушайте все! — возглашает ликующий старик, страстен и кипуч. — Этому человеку многое еще интересно и кое-что доступно. Женщины проявляют к нему интерес, он проявляет к ним». Возражает его сожитель, уныл и занудлив: «Что ему доступно, что? Мужского естества на пятачок». — «Хоть на копейку — следует потратить». — «Только через мой труп!» — восклицает старик опечаленный, не надеясь на близкие удачи. «Не разбрасывайся нашим трупом. Он еще пригодится».

И вот женщина через пару рядов, собою не дурна, место около нее не занято. Ах, что за жеманница в кольцах-серьгах-ожерельях! Брови подведены, ресницы начернены, ноги с дерзким подъемом выставлены для обозрения, ногти в кровавом маникюре оцарапывают на расстоянии, благоухание ее духов в перламутровом, вероятно, окрасе утягивает туда, откуда нет и не будет возврата. Выслушивает по телефону нечто завлекательное, розовеет, польщенная, отчего приоткрываются пухлые, зацелованные губы, выказывая кончик языка, подрагивают округлые колени, вызывая у окружающих смутные поползновения.

«Охладись, Финкель. Это не для тебя». — «Ну почему же...» Встать, подсесть рядом: «Есть ли у вас друг?» Ответит: «У меня есть муж». — «Я спросил про друга». Задумается: «Нет... Друга нет». И тогда — головой в омут: «Милая моя, я не нахал. Но от будущего осталось — всего ничего, оттого и спешу». Откликнется напевно, завлекая по неизбывной привычке: «Старичок, ты чудо». Ответит: «От чуда слышу» — и засомневается, ибо подобное кем-то уже придумано, записано, издано, прочитано и не одобрено.

А дальше... Что дальше? Увлечь разговором, впечатлить намеками, поразить суждениями: «Господи, до чего неотвязчив!..» — Финкель не трогается с места:

— Был бы я помоложе, а она пониже... В нашем возрасте нельзя промахнуться и получить отказ. Это ускоряет угасание чувств.

Раз в месяц — а то и чаще — Финкель едет в аэропорт на собственные проводы, предвкушая и завидуя. Эскалаторы возносят его с этажа на этаж. Туда, где высокие окна. Плиточные надраенные полы. Внимательные охранники. Курить нельзя, с оружием тоже нельзя, остальное, должно быть, можно.

Выбирает на табло заманчивый рейс: Рим, Барселона, Пекин, Гонконг, Мумбаи...

Самолет взлетает и сразу пропадает в облаках. Белесая муть за окном.

Дождевые струи по стеклу.

Ликующий старик набирает высоту, пробиваясь в синеющую бездонность; радуга красочным обещанием раскидывается на его пути, остальное довершит чудо. Он влетает под радугу, в неопробованное надземелье без границ-очертаний, высматривая с высоты места покоя и озарения, где нежаркого касания луч, нестойкого аромата слива в цвету, эхо от негромкого возгласа: «Я не горжусь, что выбрал для пребывания этот мир. Я ему рад».

Его кормят в самолете. Ублажают. Показывают кино. Завлекают беспошлинной косметикой. Ему улыбаются красотки в фирменных нарядах, облегающих женские прелести; штурман объявляет по бортовой сети ко всеобщему переполоху: «По просьбе пассажира Гур-Финкеля меняем направление полета...»

Неозначенный рейс, рейс по его желанию: внизу проплывают заснеженные Альпы, Пиренеи, Сьерра-Невада, величавые кучевые завалы, следующие за дуновением ветров, разъятые дали, развёрстые глубины, — кинуться вниз с распростертыми руками, взмывая на батуте, воздушной туго натянутой простыне, перелетая с облака на облако, телом впечатываясь в собственную тень.

Глубина небес.

Широта обзора.

Миг — вместительный без меры за гранью воображения, выжатый до капли в немом потрясении; всякий день в поисках такого мига, из которых складываются прозрение, накопленные не по возрасту минуты бытия.

Вдоху не насытить легкие, их насыщает восторг. А опечаленный старик глядит вослед, запрокинув голову, грустит в меру, сожалеет и беспокоится:

— У каждого есть место, куда не следует направляться. Ничего путного из этого не выйдет. Забудь про Индонезию, Финкель. Про Китай позабудь, Таиланд с Бирмой. Полетишь — пропадешь. Где ты теперь, Финкель? Отчего запаздываешь?..

7

Раз в месяц, не реже, Финкель встречает самого себя. Встречать — не провожать: дело иное.

Эскалаторы — в бережных ладонях — опускают его в зал ожиданий. Вода стекает по прозрачным плитам. Под потолком провисают воздушные шары приметами давних восклицаний: «Дедушка прилетел! Дедушка!..» Неспешно проходят стюардессы, очевидно, к самолетам, которым на взлет. Финкель выбирает город, откуда стоит возвратиться: Цюрих, Милан, Бостон или Шанхай... Рейс задерживается, и он идет пока что в кафе, заказывает кофе, бутерброд с сыром.

Перерыв между приземлениями. Томительное ожидание. Никого нет в залах, некого пока и встречать. Музыка тихая. Девочки приветливые за стойкой. Запахи свежей выпечки: булочки с яблоками, с маком, бурекасы и круассаны, заманчиво разложенные на прилавке. В магазине подарков, на витринном его стекле выставлены наклейки, которые стоит прилепить на автомобиль: «Не храпи за рулем!», «Осторожно! Путаю педали», «Ой, он меня продает!..»

Негромкий голос из динамика ворожит-заманивает: «Don't worry. Be happy...» Мужчина в темном халате подкатывает тележку, где размещаются тряпки, щетки, бутылки с моющими составами, рулоны туалетной бумаги. Присаживается неподалеку, укрывшись за столбом, подмигивает Финкелю:

— Передохнуть тоже следует...

Явно из России. Явно с образованием. Книги листающий, стихи запоминающий, песни распевающий под гитару. Волосы в проседи. Очки в черепаховой оправе. Взгляд внимательных глаз. Человек старомодного двубортного покроя, который не упрятать под халатом блюстителя чистоты. Хочется поговорить с земляком, и он начинает:

— Встречаете?

— Встречаю.

— Меня тоже встречали. Родственники. Много родственников. Они сразу сказали: «Гриша, твоя профессия здесь не нужна. Забудь про нее. Чем скорее, тем лучше».

Финкелю хочется побыть в тишине, но надо поинтересоваться, хотя бы из вежливости:

— Какая у вас профессия?

Отвечает с достоинством:

— Перед вами туалетный служитель, в прежнем пребывании — инженер-механик. Кто от сохи, а я от болта с гайкой. Приехал, огляделся вокруг: хайтек, хайтек, сплошной хайтек... — кому нужен механик, да еще с сединой? Пришел в аэропорт, говорю: «Вот человек, способный на всё. Только обучите». Меня и приставили к тележке: невелика наука, невелики доходы.

Молчит. И Финкель молчит.

— Мне бы пораньше приехать, выучиться на что-нибудь путное — родители жены не давали разрешение изменникам родины. Потом посветлело, двери открылись наружу — явились мириться, принесли вафельный торт за рубль двадцать; теща сказала: «Хотели еще шампанское купить, да вы бы на порог не пустили! Чего добру пропадать».

— Где они теперь? Родители жены?

— Здесь. Где же еще?

За дальним столом затаился одинокий мужчина. Бородка клинышком, огромные квадратные очки, просторная блуза, приплюснутый к уху берет. Рассматривает Финкеля, прихлебывая кофе, сосет потухшую трубку, выстукивает затем на компьютере: сочинитель, должно быть, бытописатель, Фолкнер-Хемингуэй. Какую судьбу ему готовит? В какие истории вплетает? Время действия — утро. Место действия — аэропорт. Пустынное кафе в запахах кофе и свежей выпечки. Старичок, издавна утихший, встречает старушку с дальнего рейса на исходе долгих совместных лет. Такие милые, такие дружные, такие пенсионеры: встретятся, расцелуются, пошагают к автобусу рука об руку. О чем они заговорят у Фолкнера-Хемингуэя, если всё переговорено? Какие трагедии разыграют в его компьютере?.. «Be happy. Don't worry...»

Туалетный служитель с опаской выглядывает из-за столба, но в зале пусто, можно посидеть еще чуточку.

— Водил сына в цирк. Жонглер крутился на колесе, забрасывал на голову чайный сервиз: блюдце, чашку, еще блюдце, еще чашку, еще и еще, в конце, под аплодисменты, кусок сахара. Сын сказал: «Тоже пойду в жонглеры. Или овец пасти», а я ему: хайтек, хайтек...

— Цирк... — Финкель прикидывает с интересом: — Музыка, цветные прожектора, блестки на блузе... В повара пускай не идет. Ты стараешься, готовишь, раскладываешь на тарелках разварную форель в сметанном соусе, картошку ломтиками, пару маслин с долькой лимона, щепотку розмарина для духовитости, а они ткнули вилками — раз! и порушили.

— Для духовитости... — повторяет туалетный служитель, как смакует редкое слово. — И в парикмахеры. Тоже не надо. Ты стрижешь, укладываешь, освежаешь одеколонами — шапки надели и смяли.

Улыбаются, довольные разговором. «Ты это уже написал, старый склеротик! — возмущается старик опечаленный, пихаясь локтями. — Про повара с парикмахером! Напечатал в журнале сто лет назад. Получил денежку...» — «Он написал, — соглашается ликующий старик, — да они-то не знают! Кто его вообще читал? Где и зачем?..»

Разговор продолжается:

— Сын теперь после армии, решает, чем заняться. Говорю: «Поезжай туда, откуда тебя привезли. Погляди на наше вчера». Уточнил: «На ваше, не на мое». Вернулся, сказал: «Цветов на улицах нет. Я без цветов не могу». Мы с женой даже обиделись: «Как это нет? Были цветы. Возле памятника Ленину».

Смотрит невесело:

— Разве хорошо, когда у родителей с детьми разное прошлое?..

Встает. Пожимает руку хорошему человеку.

— Всякий день здесь. По восемь часов. А они взлетают и взлетают... Даже прикинул: за восемь часов можно долететь до Бангкока с Сайгоном. Прибавить еще немного — тут тебе и Сингапур, Куала-Лумпур, острова Тихого океана...

Укатывает тележку с тряпками, щетками, туалетной бумагой:

— Господи, на что расходуем бессмертные души! Может, и правда лучше в жонглерах...

Финкель доедает бутерброд, допивает кофе:

— Души бессмертны в нерабочее время. Должно быть так.

А из динамика тот же голос, заново, опять заново, в магнитофоне нет иных пожеланий: «Don't worry. Be happy...»

8

Самолет выпускает на подлете шасси, слегка подпрыгивает при приземлении, катит по полосе. Спускаются по трапу граждане, допущенные к поселению на этой земле; лишь характерные черты лица — да и то не у каждого — хранят память, лишь они.

— Живые тоже порой мертвы, — уверяет Ривка, соседка по лестничной площадке. — Но они не знают о том. Не желают знать.

Раскрываются двери в зал ожиданий. Пассажиры выкатывают тележки под приветственные вопли встречающих. Вскрикивает в волнении старушка, подслеповато вглядываясь в лица:

— Упустила! Ах, упустила!..

Суетливый мужчина путается в проходе, трогает за плечо, отскакивает:

— Упс! Ошибочка... — Редкие волосы рассыпаются, открывая для обозрения бледную лысину.

Выходит из дверей иссохшая женщина в темных одеждах до пола, в темном головном платке, закостенелая от горя; берет под руку мужчину, шагают молча, строго, не глядя по сторонам, — траур, не иначе траур по близкому человеку. Монах — ростом огромен, плечами широк, черная сутана до пола — шагает так, словно выпущен из лука, буйная седая шевелюра подчеркивает дюжесть, неодолимость, напор; в завихрениях его стремительности увлекается, не поспевая, стайка богомольцев с вещами.

Но вот и Финкель приземляется: туристская шапка с козырьком, чемодан на колесиках, цветок в петлице, сорванный в Гонолулу, Аддис-Абебе, на островах Фиджи или Самоа. Говорит встречающим:

— Здравствуйте, вот он я! Как же вы обходились без меня? День. Час. Минуту.

Сам и отвечает:

— Плохо нам было. Без тебя — никак.

Ликующий старик под руку с опечаленным шагают к автобусу, радуясь воссоединению.

— Что так долго?

— Набегался. Насмотрелся. Про тебя позабыл.

Ая сидит у окна в ожидании его возвращения, высматривает в опасениях. Ото-то топчется у автобусной остановки, возвышаясь над всеми, слишком приметный для обидчика, готового обхихикать слабоумного. Финкель улетает, и Ото-то огорчается — слеза из глаза. Финкель возвращается — идут в обнимку, старый под мышкой у молодого.

— Говори! — умоляет. — Где жил? Что ел?

— Жил в гостинице. Номер крохотный, по деньгам. Ванная комната узкая-узкая: чистишь зубы — локоть стукается о стенку...

«...кстати о зубных щетках, — вмешался бы незабвенный друг. — Потрясающая деталь! Для рассказа! Союз писателей может постоять за дверью!» — «Какая деталь?» — «А не украдете?» — «Ты что!..» — «В ванной. У моего героя. Десяток щеток в шкафчике. На каждой помечено: Вера, Валя, Галя... Которая останется до утра, та и пользуется своей щеткой». — «Надуманно, Гоша. Недостоверно». Фыркнул бы с небрежением, угольные тараща глаза: «Да у меня у самого семь щеток в шкафчике: Саша, Даша, Глаша...»

После полета у Финкеля прибавляются силы, и они дружно шагают по лестнице, отмахивая руками. На третьем этаже срывается дыхание, дальше едут в лифте до верхнего этажа, поднимаются по ступенькам еще на полпролета, утыкаются в запертую дверь с рукописным плакатом: «Входящий! Уважай покой этого места». Звонок старинного образца вделан в дверь, Финкель озаботился; на звонке помечено: «Прошу повернуть».

Там они живут.

Не каждого к себе пускают.

Прилетит ангел смерти, покрутит ручку звонка, подивится на его дребезжание, а из квартир закричат: «Вы не туда попали!..»

9

Ривка-страдалица, их соседка, засыпает под утро в своей постели.

Всякий раз под утро.

Пугает ее темнота. Тревожит мрак за окном, многорукий и многоглазый, в отсветах дальних фонарей. По ночам Ривке кажется, что кто-то неусыпный, острозубый подгрызает ее, чтобы завалить, — подобно кипарису в Галилее, возле их дома, который упал под тяжестью льда со снегом, выказав мощное переплетение корней. Взгромоздили валун на то место, обтесали грань, пометили несмываемым словом: «Здесь стоял кипарис, без которого нам грустно».

Больные ноги. Непослушные ее руки. Ривка не желает умирать во сне, не заглянув напоследок в глубины небес, оттого и лежит с открытыми глазами до рассветной бледноты за окном, постанывает в душевном утеснении, ибо трудно человеку жить, еще труднее доживать.

Сказала Финкелю:

— Уходить не страшно. Есть, видно, резон, нам недоступный.

Сказал в ответ:

— В будущем научатся обходиться без этого и обнаружат, что стало чего-то недоставать. Им-то откроется смысл ухода, но будет поздно.

Сказала, как согласилась:

— Нет смерти, нет и печали. Скорби тоже нет. Взгляда вослед — ожиданием непременной встречи. Всё будет понарошку: болезнь, старость, боязнь за детей-внуков. Следовало бы порадоваться, а они заплачут.

Сын Ицик навещает не часто, с женой и внуком.

Расходы теснят Ицика — не вздохнуть, теснят, точнее, доходы, чего жена ему не прощает. Неуступчива в мелочах, скрытна, уклончива, слова поперек не терпит, не согласна даже с теми, которые ей поддакивают. Ицик попросит: «Свари суп фасолевый», скривится с небрежением: «Кто ж его ест?» Вскинется: «Друзей позовем!», губы подожмет сурово: «Нечего баловать». На важные встречи — в банк или к адвокату — берет для солидности мужа и обрывает, когда он встревает в разговор: «Что бы ты понимал...»

— Мать, не обижайся, — шепчет Ицик.

— Я не обидчивая, — отвечает. — Я памятливая.

Кто же откажется от прошлого?..

Дождь за окном, который не по сезону. Шальное облако провисает над домом, тяжелые капли пощечинами бьют по черепице, размеренно, не спеша, за какую-то провинность.

Птицы разъясняют:

— Тиф-туф, Ривка... Тиф-туф...

— Куми, Ривка... Кум-куми...

Это уже не птицы — крохотная филиппинка, обликом похожая на медлительного глазастого лемура, которая кормит ее, моет, перестилает белье, взбивает подушки к облегчению скорбей. Плохо говорит на здешнем языке, хорошо понимает; голос ее подобен чириканью за окном, не беспокоит — не отвлекает: пора открывать глаза.

Сын сказал:

— Что-то часто ты стала болеть.

Ответила:

— Не говорят правду немилосердно. В моем возрасте от этого дряхлеют. От жалости дряхлеют тоже.

И бурно состарилась.

Жили они в Галилее, неразлучные Ривка-Амнон, как жили, так и ели: в добрые годы сытно, в скудные — впроголодь. Выращивали лимоны, яблоки, авокадо; Амнон ходил возле деревьев, задрав голову, наливался гордостью, высматривая дозревающее богатство: «Шекель... Еще шекель... Еще... Нет, ребята, не прокормиться на асфальте!» По утрам, затемно, она поднималась первой, варила овсяную кашу, густую сытную кашу на молоке перед нескончаемой работой. Говорила Амнону:

— Встанешь с постели, выйдешь на кухню — нет для тебя каши. Значит, я умерла.

Змеиный страх заползал в их сердца, и она торопливо добавляла:

— Но случится оно нескоро, нескоро... Прежде научу варить овсянку.

Сидели — коленями в колени, глядели — глазами в глаза. «Облегчи, — шептала в ночи. — Ну же...», он облегчал к обоюдной радости. На поляне расцветали в избытке иван-да-марья, поздешнему «Амнон и Тамар», — соседки советовали Ривке сменить имя для полного соответствия. Дни проходили в заботах; дальше Хайфы не выезжали, не было на то желания, да и хозяйство требовало присмотра, ибо кормились от плодов земли. Уважали хоровое пение с неуемной затейницей на экране, подпевали, взявшись за руки: «Спасибо за друга, за свет в глазах и смех ребенка, спасибо за всё, что Ты нам дал...»

— Что нужно человеку? — говорил Амнон. — Побольше благодарности. Каждому по его заслугам.

Ривка с ним соглашалась. Вот они, налицо, их заслуги и благодарности: дом, хозяйство, авокадо на ветвях, — им бы еще пожить, коленями в колени, глазами в глаза, но Амнон заболел, всё потихоньку захирело, завалилось, усохло; листва осыпалась без полива, с поливом тоже осыпалась. Не хотел добровольных помощников, не пускал наемных работников: «Глазами бы всё сделал, да сил нет. А они наработают не так...»

Амнона похоронили на сельском кладбище.

Посреди цитрусовых насаждений, осыпающих по весне лепестками.

На камне пометили: «Амнон, муж Ривки», так он пожелал.

Дом загрустил без хозяина, тихий, задумчивый, погруженный в невеселые думы; поскрипывал по ночам, поскуливал, четками перебирал воспоминания. «Бог сбрасывает в океан сорок пять потоков слез, которые заставляют мир содрогаться». Весомая слезинка — по Амнону.

«...Господи, взгляни мне в глаза! Ответь, Господи: кто встретил там моего мужа? Кто вышел ему навстречу, подал чистое полотенце — отереть пот с лица, сварил для него овсяную кашу на молоке? Забери меня, Господи, и мы с ним наговоримся, наработаемся, надышимся — только позволь...»

Радости не стало без Амнона, утратилась способность удивляться, истаяли чаяния и надежды. Сношенное тело. Сношенные чувства. Ривка переехала в город, где живет Ицик, но здесь и рассветы запаздывают, дожди утекают ручьями через сточные решетки, не оросив поля, обездоленная почва закатана черным панцирем и не белеет гора в отдалении, покрытая снегом. Кашу варит ей филиппинка, с которой не поговоришь по душам, не споешь на два голоса: «Спасибо за друга, за свет в глазах...» Ривка тоскует на последнем этаже, повторяя слова Амнона: «Нет, ребята, не прокормиться на асфальте...»

Сказал Финкель:

— Я — человек с асфальта. На нем родился, с него уйду.

Сказала Ривка:

— Душа твоя наша. Плоды приносящая.

— Не наши — они кто?

— Дремучие, чащобные, в норах, оврагах, буреломах, с тайнами-недоговорами. К ним не притиснешься. С ними не разживешься.

Ривку огорчают дни, недожитые с Амноном; в бессонные ночные часы она заполняет их событиями, которым не быть.

— Мир жесток к нам, теперешним. Болезнями, затоплениями, трясением земли, прочими бедствиями, народами претерпеваемыми. А мы жестоки к себе.

10

На лестничной площадке стоит стол со стульями, картинки по стенам, лампа под голубым плафоном. На столе электрический чайник, чашки, сахар-печенье, в углу кадка с пышной геранью, за окном россыпь огней по холмам — светящимися фишками, раскиданными наугад, единым броском, в надежде на выигрышный расклад.

Они живут под крышей выше всех в доме, а потому огородились дверью от суетного мира, где умножается скорбь, сотрясаются тела и души, затоптано то, что требует бережного касания, измызгано и отброшено в мерзости запустения.

Дурь прёт от четырех концов света, зависть с корыстью, злоба натекает из окрестных земель, подпугивая неизбежностью, чумой тлеет до случая, холерой с проказой — негасимым огнем в глубинах торфяника. Нет доверия ближнему ненавистнику, нет доверия дальнему: у этих своя неправда, у тех своя; где-то подрастают поколения, которым заповедано убивать словом, пулей, зарядом, не заповедано утешать и излечивать. Станет ли завтра надежней, чем сегодня? — а они затворяются на лестничной площадке к доверительной беседе, пьют чай с мятой, хрустят печеньем.

— Не нарушили бы наш покой... — тревожится Ото-то. — Они это могут.

Папа Додик удостаивает порой вниманием. Мама Кира. Забегает Хана с нижнего этажа, утихомирив своих сорванцов. Девочка Ая выносит на площадку белого медведя, приблудная собачка укладывается у ее ног; Ото-то пристраивается возле Финкеля, стул к стулу.

На стене висит акварель «Тюльпаны в противогазах».

С тех времен, как прилетали ракеты из Ирака.

Ликующий старик постарался, изобразил цветы сообразно умению, старик опечаленный заключил их в газовые маски, обратив в пуганых, глазастых пришельцев, которым увядать до срока. Сказал с экрана араб-беженец, заморенный, бедой гнутый: «Дом мой под Хайфой, сад, могилы дедов. Я там родился, — Алла акбар! — туда и вернусь. Хочешь говорить о мире, говори с моим сыном. Он родился в Ливане». Сказал старый еврей в изнурении от потерь, в тяготах доставшегося времени: «Живу под Хайфой, в твоем, может, доме. Там мы поселились — Бог милостив! — когда бежали из Ирака, тоскуя по могилам в Басре. Мой внук уже не тоскует. Хочешь говорить о мире, обратись к моему внуку».

Открывают дверь в Ривкину квартиру, подкатывают к выходу кровать. Ривка болеет не первый месяц, но всё знает, обо всём наслышана; крохотная филиппинка при ней — одомашненным зверьком на стуле, готовая в нужную минуту прибежать на помощь. Временами Ривка затихает за дверью, одержимая страданиями, филиппинка вскидывается в волнении, а она бурчит недовольно: «Живая пока... Я жи-ва-я». И правда, куда ей спешить? В могиле не поумнеешь.

А радиоволны накатывают и накатывают на дом: по одним горе проливное, по другим сомнения с опасениями. «Нам хорошо, — разъясняет Финкель. — Мы под крышей. Ветрено во всякое время. Ветер силен на высоте и отгоняет последние известия, от которых не дождешься покоя». Можно улыбнуться на его слова, пощурить в насмешке глаз — Ото-то верит старому человеку, ему по душе посиделки с печеньем и сладким чаем, где слабоумного мужчину держат за равного.

Кто знает — рассказывает истории. Кто не знает — слушает.

— Верона... Поведаю вам про Верону. На реке Адидже. К западу от Венеции. На железнодорожной ветке Падуя — Виченца — Брешия — Милан.

— Верона — она где? — спрашивает Ая.

— Верона в Италии, — уточняет Финкель и продолжает: — Мосты через реку — я их перешагал. Понте Нуово, Понте делла Виттория, пятиарочный Понте Пьетра, трехарочный Понте Скалигеро, зубчатый поверху, по которому попадешь в Кастельвеккио, замок четырнадцатого века.

Ото-то вертит головой, приоткрыв от усердия рот, мысли снуют мурашами, не находя покоя:

— Не надо столько. Я запутался...

Финкеля не остановить.

— Базилики. Римский амфитеатр. Пьяцца Бра. Пьяцца Каррубио. Пьяцца делле Эрбе, в двух шагах от которой неприметная улица Капелло. И на той улице... Тот дом...

Держит паузу, подогревая интерес.

— Говори. Чего молчишь?

— И на том доме... Балкон, на который взлетал Ромео. Повидать Джульетту.

— Джульетта — она кто?

Финкель произносит с чувством, по-русски:

Как белый голубь в стае воронья —
Среди подруг красавица моя...

— Переведи, — просят.

— Если бы я мог.

Пересказывает печальную историю, они слушают, кивают головами, филиппинка тоже кивает.

— В монастыре капуцинов, в сводчатом его склепе, стоит опустелый саркофаг; в нем — уверяют — похоронили Джульетту, а возле нее Ромео. Что погибли от великой любви и неукротимой ненависти.

Ненависть — она рядом, каждому известна по неутешным потерям; про великую любовь не всякий наслышан.

— Мне... — интересуется Ая, — нельзя ли с тобой? В ту Верону.

— Пока нельзя. Подрастешь — полетишь.

И она подрастает с надеждой.

— А мне? — робко спрашивает Ото-то.

— Не исключено, друг мой, не исключено.

Ото-то снова озабочен:

— Не растолстеть бы к тому времени, не отяжелеть на взлет...

Слышен вздох, похожий на стон. Стонет Ривка-страдалица, прикованная к постели, которой тоже хочется на взлет, но свое она отлетала. Ривку интересует теперь одно: кому достанутся недожитые ее дни?

— Говорят, душа после смерти облетает мир из конца в конец. За четыре взмаха крыла. Чтобы обозреть напоследок.

— Ривка, это к чему?

— Пролечу над Галилеей, над домом своим...

Остерегал мудрый рабби, и остерегал не однажды: «Только пучок соломы не вызывает ненависти». Бродит по окрестностям тусклый тип, с души тёмен, комок человеческой слизи в несытой похоти, со смазной, гуталинной душой, отполированной как сапог. Подбирается к их дому, к огороженному покою, принюхивается, приглядывается — испробовать вкус зла, посеять раздоры, наговоры с пересудами, ввести в искушение и обман. «Вы меня вынуждаете», — страшит на подходе; часы на руке циферблатом книзу: чей срок они отсчитывают? — апельсины на дереве вздрагивают в недобром предчувствии.

Ривка спрашивает обеспокоенно:

— Сколько?

Финкель отвечает:

— Семь. Всё еще семь.

Ночью возопит старик опечаленный, вздымая ладони к потолку: «Имею право! Право имею! На смягчение нравов. При кротости и мудрости правления. И если ради нас создан мир, отчего нет в нем покоя?..» Отзовется ликующий старик: «В следующий раз слетаю в Монтенегро. Ради одного названия».

II

Голубь угрелся на подоконнике у приоткрытого окна, в дреме свалился на пол. Мечется по комнате, вызвав всеобщий переполох, врубается в обманное стекло на пути к небесам, опадает без чувств.

— Де-душ-ка... Возьмем?

— Возьмем.

Выносят его на балкон, укладывают в картонную коробку, задвигают под стол, уберегая от солнца, — сидит, пушит перья, потряхивает головой: не иначе сотрясение мозга, который у голубя, возможно, имеется. А я снова в хлопотах: ставит ему плошку с водой, насыпает зернышки — есть о ком позаботиться.

— Де-душ-ка... Давай его приучим и станем рассылать по свету голубиную почту.

— Давай, моя хорошая.

— А кому, дедушка?

— Найдем кому.

Ахает от удовольствия:

— Завтра и начнем!..

Через пару часов голубь вылезает из-под стола, шатко ступает среди цветочных горшков, заваливаясь на стороны, взлетает, оклемавшись, — Финкель говорит вослед:

— Ни спасибо тебе, ни пожалуйста... Разве так поступают порядочные голуби?

— Нет, — соглашается Ая. — Порядочные голуби так не поступают.

Вечером они выгуливают Бублика.

По окрестным улицам.

Дедушка с внучкой.

Приблудная собачка слушается Аю, одну ее. Девочка обнаружила под скамейкой тощее, затравленное существо с непроливной слезой в глазу, принесла домой, уложила на подстилку; собачка лежала на боку, откинув бесполезные ноги, голос не подавала, ожидая скорого конца в тоскливой покорности. Ая садилась рядом, кормила с ложки теплым куриным бульоном, гладила, нашептывала ласковые прозвища, та укладывала голову ей на колени и задремывала, всплакивая во сне, ребенком с высокой температурой.

Бубликом назвал ее дедушка-выдумщик, кто же еще? В облике собачки проглядывают следы неразборчивых связей прежних поколений: кривоватые ноги таксы, кудряшки по телу от болонки, вислые уши от спаниеля, пушистый хвост неизвестного происхождения. Когда папа с мамой собираются в отпуск и всё упаковано, Бублик сходит с ума от переживаний, мечется по комнатам, заглядывая в лица, не дает выносить чемоданы, — прошлые его хозяева собрали, должно быть, вещи, уехали навсегда и оставили собаку на улице. Ая берет его на руки, укачивает, покой нисходит на малое, исстрадавшееся создание.

— Эта девочка чувствует чужую боль, — говорит Дрор, сосед по лестничной площадке. — Быть ей хорошим врачом.

Дрор — психолог. Ему можно поверить.

Шагает навстречу доктор Горлонос с первого этажа, видный, холеный, отутюженный, неспешно ставит на тротуар начищенные штиблеты. Прием у доктора на дому; теснятся в прихожей глухие, сопливые, гундосые пациенты, комнату наполняя унынием; Финкель придумывает им прозвища: Чихун Семеныч, Кашлюн Абрамыч, Сморкун Моисеич, — внучка тихо радуется.

Доктор Горлонос, вальяжный, снисходительный, взглядывает свысока на непородного Бублика, на невзрачного дедушку с глазастой внучкой, и на поводке у него красавец спаниель, расчесанный, ухоженный, пахнущий иноземным шампунем. Доктор равнодушен к своим пациентам, равнодушен к соседям по дому, даже фрау Горлонос, тонная дама с изысканными манерами, не вызывает мужских поползновений, и лишь собака пробуждает его чувства. А спаниель, гордость доктора, обнюхивает без охоты встречные предметы, брезгливо оттопыривает губу, не удостаивая взглядом, обида в глазу — не устранить деликатесами и собачьими парикмахерами, словно оповещает всех и каждого: «Вы мне за это еще заплатите...»

Внучка привыкла к тому, что дедушка останавливается порой на улице, кратко записывает на малых листках, но что с ними делает, ей не известно.

— Де-душ-ка... Эти листочки — куда потом деваются?

— По ветру пускаю, моя хорошая.

— Самолетиками?

— Самолетиками тоже. Бумажными змеями под облака. Чтобы попали к тому, кто в них нуждается.

— И ко мне, дедушка?

— И к тебе.

Мир полнится сюжетами, достойными упоминания; они бродят по окрестностям, напрашиваются в его рассказы, но как развернуть сюжет в пространное повествование, как уложить в отпущенные ему сроки?..

«...у красавца спаниеля был хозяин-тупица, искусный в испускании ветров, мастер на липучие шуточки, после которых хотелось отмыться под душем.

Хозяин рыгал, икал, цыкал зубом, вывалив на обозрение мохнатое пузо, к умилению пса, обожавшего это человеческое совершенство. И отсчет достоинств спаниель вёл от своего кумира: на самом верху он, блистательный и неповторимый, остальные где-то там, не выше подола.

Умер хозяин, опившись на дармовом приеме, схоронили его по протоколу, под духовой оркестр. Трубачи частили фокстротно, поспешая к щедрому угощению, барабанщик грохал тарелками, не попадая в такт, занудливо говорили речи к потехе зевак, а пес-сирота попал в интеллигентную семью, которая отвезла его к ветеринару и тут же выхолостила, лишив мужской силы. Тоскует по прежнему хозяину, по его иканию с рыганием, дни проводя скучные, без порывов плоти, в обиде на прочий мир. Ненавидит безобразное имя Амфибрахий взамен прежнего, сладостного уху — Шпунц, что подталкивало к оскалу, прыжку, клацанью зубов: Шпу-пу-пунц!

Доктор Горлонос и фрау Горлонос ухаживают за ним, холят и балуют, но он не выносит их учтивые манеры, картины на стенах, ковры на полу, книги с готическим шрифтом — от застарелой бумажной пыли нападает на пса долгий, неодолимый чих. И всякий раз, когда Горлоносы музицируют с друзьями на скрипках-фаготах, спаниель злобеет до воя в горле, до яростного клокотанья из глубин живота, которое не удержать стиснутыми зубами. Да еще воткнут диск в ненавистное ему сооружение, изрыгающее звуки, внимают благоговейно концерт для ударных: ксилофон, вибрафон, маримба, глокеншпиль, литавры, барабан, фортепьяно. Хоть кто завоет с тоски...

А пес, между прочим, происхождения знатного, отпрыск благородных кровей, чьи предки получали медали на международных показах. А уборщица между делом хлещет его мокрой тряпкой по морде, что невыносимо и оскорбительно. А Горлоносы, кстати сказать, гордятся его родословной, не подозревая о том, что спаниель презирает их до глубин выхолощенной собачьей души. И всякий раз, заслышав с улицы похоронный оркестр, трубы с тарелками, он начинает гавкать, метаться по комнатам, рвать зубами обивку на креслах.

Впрочем, к здешнему проживанию эта история относится частично. Здесь не кладут в гроб и не хоронят под оркестр...»

12

У подъезда к ним кидается Ото-то, хватает за руки:

— Зу-зу! Опять пропала...

Плач по мухе. Горькие рыдания. Спит ли она? Вылетела в окно? Оплетает паутиной злодей-мухоед, чтобы живой не быть?..

— Она не пропала, — уверяет Финкель. — Сидит в одиночестве, мечтает о том, как отрастают ее крылья, тучнеет тело, заостряется хоботок, обращаясь в нацеленный клюв. Паутина теперь не страшна. Мухобойки. Липкая бумага нипочем.

Зу-зу исчезала не раз, исчерпав свои силы, — слезы, вскрики, отчаяние неподдельное, которое поддается излечению. Ведут Ото-то в соседнюю лавочку, раскошеливаются на малую сумму, и пока он заедает горе мороженым, ловят очередную муху, запускают к нему в квартиру, кричат из окна:

— Вот она! Вот же!.. Здравствуй, Зу-зу!

Уловку ему не распознать, и Ото-то бурно радуется, вылизывая любимое лакомство, рот измазан шоколадом с орехами. Время ко сну, и перед расставанием на ночь они блаженствуют на кухне, выставив к чаю лимонные вафли и инжирное варенье мамы Киры.

— Чувствую — не наемся, — беспокоится Ото-то, торопливо хрустит угощением, а друг-муравей суматошится на клеенке посреди сладких крошек, обезумев от изобилия, но не заглатывает, изнуренный заботами, нет, он не заглатывает, — торопится донести туда, где дожидаются кормильца жена-дети, престарелые родители, дяди-тети, племянник-обалдуй, лентяй и профурсет, которому требуется усиленное питание. Спотыкается о неприметный бугорок, переворачивается на спину, трепыхается, пытаясь извернуться, встать на ноги, но крошку не выпускает, нет, он ее не выпускает.

Финкель рассказывает, прихлебывая из любимой кружки:

— Бывало и так... Зима. Подморозило. Гололед в горах. Машины-автобусы не ходят, но у меня самолет — как бы не опоздать.

Девочка Ая любит его истории, самые невозможные; Ото-то они пугают.

— И что? — спрашивает он, а в голове стукают молоточки, ладони потеют от волнения, кожа на спине ершится, ибо вытерпеть неизвестное ему не по силам. — Что-о?..

— Вышел на край города, к началу спуска, подобрал фанерку, сел на нее и помчался вниз по льду, вписываясь в повороты. Столбы по сторонам мелькают, дорожные знаки, народ ахает в изумлении. Скорость огромная, даже фанера задымилась, задымились брюки, стало жарко, как на утюге, но я перетерпел, я всё вытерпел. Вынесло на равнину, пролетел полдороги до аэропорта и встал.

— Дальше как?

— Дальше бегом. Еле успел на взлет.

Разговорился — не остановить:

— В другой раз ливень, потоки с гор: что делать? Стёк с водами на равнину, успел к рейсу, да зазвенело под аркой, при проверке... Вынимаю из кармана ключи — звенит. Высыпаю деньги — звенит. Снимаю пояс с железной пряжкой — звенит. «Бывает, — говорит охранник. — Это ты, дед, звенишь. Изнутри. Жить, значит, хочешь». И пропустил к самолету.

Ото-то верит каждому его слову, усилия разума недостаточны — осмыслить подобное и усомниться, но Финкель старается передать невозможное, дабы взмывали в надземелье, парили в горних высотах, где воздух разрежен, а чувства сгущены.

Внучки это тоже касается.

13

Время к ночи.

Ая надевает пижаму, ложится в его постель, просит, по обыкновению, — не отказать:

— Тебе хорошо. Ты застал свою бабушку. Расскажи теперь про мою.

Над кроватью висит карта Подмосковья для охотников-рыболовов.

— Там мы с ней путешествовали. Ехали на поездах. Плыли на лодках. Шли пешком по полям.

Достает значки из коробки. Каждый куплен в том месте, где они побывали, на каждом герб города и его название. Рассказывает и втыкает в карту — занятие завлекательное:

— Переславль — озеро Плещеево. Ростов — озеро Неро. Вышний Волочек — озеро Мстино. Углич... Где же Углич? Куда запрятался? Вот он, от нас не скроешься.

Внучка разглядывает на значках льва с короной, медведя с секирой, сказочную птицу на взлете, весельную ладью на волне, пушку, изготовившуюся к бою, корзинки для грибов-ягод, расписной домик, в котором хочется поселиться.

— Судогда? Возле Владимира. Коломна? Под Москвой. Жиздра, Киржач, Галич, Юрьев-Польский, Костычи... Где они? Нет Костычей.

Дедушка грустит, растревоженный воспоминаниями. А я тоже страдает, наделенная отзывчивым сердцем, задремывает под картой, утыканной значками, и дедушка уносит ее в постель. Внучка — последнее творение старого сочинителя; Финкель садится за стол, пишет остережение печатными буквами, отправляет под-подушечной почтой для будущего уяснения: «Запомни, моя милая: прилагательные попадаются на каждом шагу, существительное надо еще отыскать. Быть прилагательным всякий способен, но это не для тебя. Стань непременно существительным; прилагательные сами набегут, напрашиваясь в попутчики, только отбирай построже».

Ночью ее навестят Риш и Руш, карлики из затаившегося города Костычи, что на берегу озера Ньяса, — худенькие, хроменькие, в черноту оранжевые, с повязкой вокруг бедер; постоят, посмотрят, уйдут неторопливо, ничего не сказав. Ночью проявится на потолке сообщение, чуждое и невероятное, которое придет не по назначению, затерявшись в пространствах: «Требуются работники. Возраст — любой. Пол — необязателен. Образование — излишне. Незнание языков предпочтительно. Особые требования: не вмешиваться, если не просят, молчать, пока не спрашивают».

— О! — не оплошает Финкель. — Стоит попробовать.

Сговорится о встрече в том же сне, посетит сомнительное заведение.

— Наркотики? — спросит. — Отмывание валюты?

Пощурятся на него, ответят с небрежением:

— Зачем нам наркотики? Откуда у вас валюта?

— Что же тогда?

Оглядят без интереса, глаза у них желтые:

— Связь с иными мирами. Блуждания по извилинам души. Оздоровление с помощью ангельского вмешательства. Работа сидячая. Доходы до сытости. Вы нам не подходите.

— Подхожу, и даже очень. Возраст — любой. Пол — необязателен.

— Говорите много. Когда не спрашивают. Мы вами недовольны.

Не нанять ли им реб Шулима? Вечного молчальника?..

Телефон вскрикивает, будто подпрыгивает на месте.

— Спите?

— Нет.

— Почему?

— Чтобы не разбудили посреди ночи.

— Может, поговорим?

— Поговорим.

Начинает — в голосе вызов:

— Всё еще сочиняете?

— Пытаюсь.

— На компьютере? Как все?

— Гусиным пером. Как Пушкин.

— Кириллицу не забыли?..

Пауза.

— Извините. Нервы играют.

Финкель соглашается:

— У всех играют. Скажите лучше, откуда приехали?

— Откуда и вы… Пару раз набирала ваш номер, однажды даже хотела навестить. Отдыхала на море, загорала, чтобы лучше выглядеть.

Со стеснением:

— Женщина, все-таки…

Дыхание в трубке учащенное, словно давится непролитыми слезами. Вновь листает страницы:

— «…душа после смерти облетает мир из конца в конец. За четыре взмаха крыла. Чтобы обозреть напоследок…» Это как понимать, сочинитель?

— Как пожелаете.

— Я бы пожелала, да отсюда не долететь. Не взглянуть на оставленное. И крыльям откуда взяться?..

Падает с ветки апельсин, укатывается под куст, и остается их шесть, всего шесть, которые хочется уберечь...

Заканчивается день второй в незавершенности замыслов, когда собравшиеся выдумывали что угодно, кому что понравится и задавали друг другу загадки, невозможные к разрешению...

ЧАСТЬ ТРЕТЬЯ

ТИХОЙ СТРУНЫ НАПЕВ

I

Весна.

Травенеет сверх меры.

Прорастают в избытке несеяные растения.

Мураши расправляют крылья. Желтокрылая бабочка вспархивает очумело. Маки с анемонами раскидываются по холмам в неудержимом пробуждении, в скором, покорном усыхании, доставляя отраду с сожалением.

Расцветает во дворе корявое иудино дерево, застилает дорожки опавшим розово-фиолетовым покровом, как готовит к свадебному шествию. Теснятся на ветвях красно-рыжие соцветия, ёршиками для мытья бутылок из далёкого прошлого — не подобрать названия. Глициния заплетает всякое произрастание, удушая без разбора, свешивает до земли блекло-лиловые кисти, завлекая ароматами, и не хочется думать о печальных последствиях. У пня на газоне проклевывается робкий росток, а жучок пока что истачивает тополь, кора его деревенеет, опадая крупными чешуйками, серые проплешины изъязвили ствол, которому пора на спил, и лишь бугры корней, венами вздувшие асфальт, останутся напоминанием о неодолимой мощи.

От дома выложена дорожка из некрупных плит; в стыках прорастает по весне трава, зелеными мазками на сером бетоне. Голубь кружит над акацией, высматривая сухие веточки, обламывает их клювом и уносит в гнездо под крышу. Вот и запоздалый дождь, яростный, полноводный, загоняющий всех в укрытия. Последний зимний ветер срывает струи, хлещет ими по окнам, по стенам, зонты выламывает наизнанку, вымещая бессильную злость.

Бурливая вода пузырится в водостоках. Прыгают на улице подростки, озорные, промокшие до трусов; прыгает по покатой крыше взъерошенный дрозд, круглоголовый, иссиня-черный, с коротким желто-оранжевым клювом. Не улетает, не прячется от дождя, бока подставляя под струи; скачет по черепице наперекор стихиям, перья дыбятся у растрепы в воздушных потоках. Подружка любуется из надежного укрытия: «Ах, какой же он у меня!..» — «Ах, какой же я у тебя! Какой у себя! И такой, такой тоже!..» Вздергивает задорно хвост, запускает по округе трели, гранеными стеклянными шариками рассыпает по крыше.

Захочет — улетит в дальние края по пути ветров. Не захочет, останется здесь — чечетку отбивать на черепице.

— Шах-рур, Пинкель… — приседает, кланяется галантно. — Шах-рур…

Он этого не понимает, но дрозд не унимается, неугомонно выкликая свое прозвание:

— Шах-рур, Пинкель, шах-рур…

2

Роса выпадает к рассвету.

Щедрая, обильная.

Птицы пьют ее из цветочных венчиков, малыми глотками, запрокидывая головы, — капли скатываются по горлу, освежая и остужая.

Косули слизывают влагу с камней легким прикосновением языка, подрагивая мышцами ног, готовые к незамедлительному прыжку, бегу, спасению.

Стол на балконе покрывается мелкой, искрящейся капелью, но Финкелю это не мешает — всяким погожим утром, когда не беспокоит хамсин, ливень с небес или нежданные вторжения нежелательных пришельцев, которых придется выслушивать.

Отводит внучку в детский сад, возвращается домой, где никого не будет до вечера, моет посуду, прибирает в комнатах после поспешного бегства мамы Киры и папы Додика и утихает на балконе с чашкой кофе, пока тень от крыши не подползет к ногам, жаром дохнет от залитого солнцем пола. Здесь его постоянное утреннее бдение, блаженная щепотка времени, ожидание самого себя, который вечно запаздывает, слабая надежда на проявление знаков и знамений, прокладывающих путь в подступающий день.

В прохладе утреннего часа звуки слышнее.

Пошумливает вдалеке шоссе ленивым морским прибоем, пальма отмахивает вознесенными листьями в неспешном шуршании, самолет погуживает в синеве, словно видимый со дна океана, подает голос петух из отдаленной арабской деревни, бульбули вспархивают на перила, выказывая желтоватые подхвостья, разглядывают без боязни старого человека.

«Ты на обочине, Финкель, — определили в давние времена. — На обочине обочин со своими сказами, и не рассчитывай на иное. Отрастить бы тебе буйные лохмы, подобрать на помойке драные опорки, непотребную рубаху с портками, поселиться в сумеречном подвале, куда ведут битые ступени, распахнуть дверь для случайных почитателей, раскладывать на газетке их подношение с непременной бутылкой, зачитывать бессмертные строки в слезливом опьянении, дабы внимали непризнанному сочинителю, — куда там! Тебе важен суп для семьи, Финкель. Тарелка супа. Оттого не создашь себе имени, не станешь знаменитым при жизни. После нее — тем более».

Горы перед ним.

На горах — россыпью — светлые домики под красными крышами.

Мир перед глазами, достойный размышления с пониманием, трепетного прикасания, чтобы не порушить ненароком. Соцветия вокруг, бескорыстные и бесхитростные, раскрывают сокровенные таинства, не ожидая одобрения с признанием: подходи и гляди, подлетай и пользуйся. На коре деревьев, на их бугристых стволах начертаны непрочитанные послания, скрытые откровения; приникнуть ухом, затаиться без шевелений, вслушаться в протекание влаги по сосудам, уловить тихое нашептывание: «Не опадайте! Только не опадайте!..» — но застучит с перебоями в глубинах корней, закупорится малый проток, увянет поверху лист, усохнет черенок, опадет без стука недозрелый плод-апельсин, напугав разве что муравья.

Приехал, огляделся: «цафцефа» возле дома, «брош», «дафна» — все такие знакомые, такие привычные под иным именем: тополь, кипарис, лавровое дерево. Лет недостанет, недостанет памяти освоиться в ином растительном мире, где клен — «эдер», дуб — «алон», «орен» — сосна, и отдельно, совсем уж невозможное, «арава бохия» — плакучая ива над источником. Полопаются стручки на акации, семена, опадая, обступают машину на стоянке, скамейку под деревом, словно птицы, слетевшись, затюкают клювиками, — начертания на семенах, как на монетах Римской империи.

Не всякому растению прижиться на этой земле, не всякому пришельцу.

— Сбрил бы хоть бороду, — фыркает мама Кира, которой не терпится его омолодить. — Идише Дед Мороз: обложить ватой — и под елку.

— Очень оно рискованно, — возражает Финкель. — Что явим миру без бороды? Кто под ней схоронился?..

На балконе кустится розмарин, выпустивший в избытке, еще по зиме, гроздья блеклых цветений, над которыми зависает невесомый цуфит, высасывая нектар загнутым клювом, чудо перламутровое, дни проводящее в неутомимом добывании пищи. Крылышки его трепещут, трепещет, должно быть, ликование в крохотном тельце; голова и грудка переливчатые, сине-лиловые: можно заглядеться на такое великолепие. Предки цуфита из тропической Африки, но он прижился здесь, улетать не собирается — Финкелю это по нраву.

Молчание — тихой струны напев.

Чашка со сколом, обтроганная губами.

Несмываемый след по ободку.

Последний глоток кофе. Остатки сахара на дне. Преслаткая его горечь, которую не передать бумажному листу, не напоить строку скорбью утраты, сладостью мира, его окружающего.

Взять с полки пухлый том, открыть на первых страницах:

«Начинается книга, называемая Декамерон, прозванная Principe Galeotto, в которой содержится сто новелл, рассказанных в течение десяти дней семью дамами и тремя молодыми людьми...»

Пролистнуть сотню страниц:

«День второй. Новелла седьмая. Султан Вавилонии отправляет свою дочь в замужество к королю дель Гарбо; вследствие разных случайностей она в течение четырех лет попадает в разных местах в руки к девяти мужчинам; наконец, возвращенная к отцу как девственница, отправляется, как и прежде намеревалась, в жены к королю дель Гарбо...»

Скажет ликующий старик, кроток и доверчив: «Финкель, отложи книгу, которая уже написана. Просьба к тебе, Финкель».

«Слушаю, дорогой».

«Сочини рассказ, а лучше повесть для тех, кому тревожно и неукладисто в маете-истоме.

133

Чтобы шагнули под переплет, как входят с мороза в обжитую избу, где еда на столе, ребенок в люльке, припасы в подполе, домовито попахивает упревшей в печи картошкой. Ее следует растолочь в чугуне, щедро полить сметаной, посолить в меру, плотно прикрыть крышкой, задвинуть ухватом в печь, где прогорели дрова, не позабыть про печную заслонку — и потекут из чугуна призывные запахи, корочка загустеет на картошке, плотная, коричневатая, с желтизной по краям, под которой затаится самая сласть, — рука потянется к рюмке, к малосольному огурчику, к хрупчатому луку и слезливым маслятам, душа потянется к родной душе — огарком из отпотевшего оконца, обмякнет в покое-довольствии, огородившись мерзлыми бревенчатыми стенами от горестного мира...»

Скажет старик опечаленный, упрям и настырен: «Финкель, ну сколько можно? Ты же оттуда уехал, от той печной заслонки. Сто лет назад».

Огорчится его сожитель: «Эх ты! Для тебя же стараюсь. Кто из нас в маете-истоме?»

Подивится на пришельцев Ривка-страдалица: «Картошка, лук, огурчики.... Какие же вы евреи? Вы русские».

Проводы были нелегкими, без надежды на встречу: «В далекий край товарищ отбывает...», в отказе от обжитого, обласканного, в отрыве от близких, затаившихся в глубинах тесного подмосковного кладбища. Собрались напоследок приятели, стали выяснять, кто первым завел с ним знакомство, но Гоша не дал рассусолиться, расслюнявиться им не позволил. «Пустой разговор, — сказал. — Поговорим лучше о том, кто первым его забудет». На прощание пообещал: «Тебе, Финкель, угрожает опасность — жить долго, очень долго, пережить нас и вспоминать каждого. Не лучшее, согласись, занятие на исходе дней. Расплата — она впереди».

В ящике стола запряталось письмо в затертом конверте: «...мы скучаем без тебя, еврей Финкель. Без твоих умолчаний, которые хочется разгадать. Без твоего прищура, пресекающего чью-то пошлость. Вечерами, когда возвращаюсь с прогулки, Машка спрашивает: "Финкеля не встретил?", и хотя это всего лишь шутка, мы задумываемся и даже вздыхаем. Мир разделен, а ты далеко; вина в доме полно, а выпить не с кем. Прилетай, Финкель...»

Лики прошлого проявляются на беленом потолке, а птицы выкликают из укрытия, имена перебирая под рассветный говор листвы, имена той, что ушла до срока:

— О-рит... О-рит...

— Ро-нит... Ро-нит...

— Ор-на... Ор-на...

— Си-га-лит, Пинкель, Си-га-лит...

135

Начинается день третий, в котором герои постараются скрыть то, что каждому известно, и сообщить о том, что следовало утаить, с помощью учтивого слова и находчивого ответа...

3

— Финкель, — выведывал незабвенный друг. — В какой картине ты бы хотел схорониться, перешагнув через раму? С кем бы пожелал остаться? Не торопись с ответом, назад не вышагнешь.

Годы просвистывают за окном, но Финкель всё решает и решает, перебирая художников, их творения, гравюры с акварелями, фрески и витражи, неуживчивый с одними, отторгаемый другими, не вписываясь в иные пейзажи, не приживаясь в ином колере. Измучившись, взмолился посреди ночи:

— В фотографию можно? Пробившись через глянец?

— Можно и в фотографию.

Туда! К ней! Откуда высматривает строго, испытующе, в терпеливом ожидании. Встать рядом, руку положить на плечо, вздохнуть успокоенно...

— Де-ду-шка... Тебе кто по душе?

— Ты.

— А Ото-то?

— И Ото-то.

— А бабушка?

— И бабушка. Конечно же, бабушка, которая тебя не дождалась...

Она объявилась вдруг, нежданно и навсегда, словно от рождения была возле него, в нем, повсюду, отодвинув в сторону всё и всех, покорив естеством желаний до последнего своего выдоха. Прежнее существование стало невозможным, и он принял ее сразу, целиком, не разделяя на внешний вид, слова, чувства и поступки.

— А шейн пунем, — признала бабушка Хая при знакомстве. — Хорошенькое личико. Я тоже была неплоха. В лучшие свои дни.

И отвернулась от зеркала.

Она пришла к ним по окончании института, и в перерыве ее обступили мужчины, дерзкие и находчивые.

— Девушка, у вас имя есть?

— Есть.

— Каково же оно?

— Зисл.

— Зисл?

— Зисл. Так называют меня родители.

— Что это означает? И на каком языке?

— Означает — сладкая. На языке идиш.

Именем она гордилась: «Зисл! Зисл!..» Имя выделяло ее среди прочих женщин, голос выделял, грудной, чарующий, что сотрясало инженерно-технический состав конструкторского бюро, вызывало перешептывания, намеки, мужские поползновения. «Зинаида Моисеевна», — призывал начальник группы в некоем, вполне объяснимом замешательстве; она откликалась в ответ: «Иду, Игорь Андреевич», а всем слышалось манящее: «Спешу, радость моя...»

— Прелестница, — восхищались во много голосов, — в вас можно влюбиться даже по телефону! Обольстительница, — восторгались, — вы нас завлекаете! Завлекаете и отвлекаете от проектирования новейших летательных аппаратов.

Зисл. Сладкая-Зисл. Стремительная и непреклонная на широком шагу, что создавало ощущение силы, решимости, упрятанных до случая бурных страстей, — мужчины оборачивались на улице, внимательно смотрели вослед. Прогнутая спина — стойкой балерины — бросала вызов окружающему миру, волосы прямые, вразлет, подчеркивали неутомимость и неукротимость, просторные платья из легких тканей палевых тонов — любимый цвет, любимый ее покрой — завивались вокруг колен, шляпа с широкими полями затеняла глаза, отчего не терпелось в них заглянуть.

— Несравненная, — огорчались, — ваши эмоции опережают наши намерения!

— Пока проявятся ваши намерения, угаснут мои эмоции.

Зисл, Сладкая-Зисл, дерзкая и своенравная — переменчивой погодой по осени. «Выясните прогноз моего настроения. На ближайшие часы. Прежде чем приближаться». А они были шумные, прыткие, остроглазые: малооплачиваемые инженеры с неутоленными желаниями, которых не могли насытить податливые девицы, согласные на нехитрые забавы по случайным пристанищам-постелям. «Как в них влюбиться? Ну как? Когда они сразу на всё согласны, сразу!.. Ты бы и рад влюбиться, да просто не успеваешь. Времени не остается...»

В перерывах бегали в заводскую столовую, в толкотню многолюдия, жару с духотой, где раздатчицы укладывали тарелки на руку, от ладони до локтя, плюхали в них пюре: плюх, плюх, плюх, расшлепывали ромштексы из свиного сала без единого волоконца мяса, обжаренные в сухарной корочке: шлёп, шлёп, шлёп, поливали бурым соусом, похожим на разогретую пушечную смазку, выкидывали тарелки на прилавок: шмяк, шмяк, шмяк.

После работы заглядывали в ларек у проходной — выпить по стакану дешевого портвейна, который им не нравился, но был зато по карману; с премиальных захаживали в ресторан «Загородный» — вкусить порционные блюда с оглядкой на цены; катались зимой на лыжах, плавали летом на байдарках, пекли на углях картошку до пепельной корочки, пели песни под гитару, парами уединялись в палатках — молодые специалисты в работе и любви, неспособные еще понять, что не существует неизведанных соблазнов, всё испытано в веках и народах, отброшено и испытано заново в потаенности или оголенности нравов.

Зисл. Сладкая-Зисл. Озадачивала самых настырных: «Удивите меня. Изумите. Очаруйте на миг. И не поддакивайте: этого не переношу». Охотников обольстить было немало; сетовали и вздыхали на дальних подступах: «Никак к ней не протиснешься...», — Финкель преуспел более других, не помышляя об этом; Финкелю, ему одному, сказала: «Ты мне позвони, а я обрадуюсь».

Ей нравилось его удивлять. У нее это хорошо получалось. «Финкель!» — «Я Финкель». — «Поверни налево». — «Нам же не в ту сторону». — «А ты поверни». И происходило чудо. Узкий проселок, неширокий проезд под нависшими кронами, полторы минуты хвойной дремучести, вперевалку, по корням-корягам, будто заманивало в разбойное лежбище, — и снова шоссе, луговые просторы вокруг, редкий посвист пролетающих машин. Катили неспешно в сторону заката, где жаркого золота перелив, пели в усладе сердец, услышали громовое, через усилитель: «Водитель "москвича"! Остановитесь!» Подкатил милиционер на мотоцикле, суровый, непреклонно карающий: «Почему едете посреди шоссе?» — «Пели», — повинился он. «Песню», — повинилась она. «Вслух?» — «Вслух». — «Зачем?» Взмокший под мундиром. Загазованный до очумелости. «Хорошо нам...» Вздохнул, затуманился, отпустил без штрафа.

«Финкель!» — и они торопились под вечер в бревенчатый дом, заваленный сухими снегами, промерзший до лета, вприпрыжку бежали со станции, взявшись за руки, — лапистые ели по сторонам, нежилой дачный поселок, слепые бельма окон, снег тихо поскрипывал под ногами — в городе он должен скрипеть сильнее, если хочешь его расслышать. Даже шишка, подобранная на холоде, затворившаяся в чешуйках от злого ветра, отогревалась возле печки, раскрывалась, хорошея, высеивала семена свои, доверившись теплу, свету, их неуемным желаниям.

Приезжали и в непролазную осеннюю распутицу — ошметки грязи на обуви, прибивали к кормушке кусочек сала, высматривали из окна красногрудых снегирей, что слетались на угощение, подъедали его в момент, склевывали остатки из-под шляпки гвоздя, потешно склонив головы, клювиками отстукивая по деревяшке... — и загрустил, припоминая, затаившись в комнате, где всё ею наполнено, даже воздух, которым он окружен...

4

Тихо в ночи.

Не слышно дыхания.

Запах жилища неуловим, словно Финкель не заглядывает сюда, не сутулится за письменным столом, проклиная неподатливость слова и слога, не лежит в постели лицом к потолку, который услужливо поставляет, а затем смывает памятные картины, будто дотошный учитель стирает условия задачи с классной доски, предлагая взамен иные, не менее заумные, которым тоже не найти решения.

Кто там не спит по ночам?

Бродит одиноко по путям, с молодости протоптанным, улавливая эхо нестойких голосов?

«Упрости нас, Господи! Чтобы поменьше огорчений к старости. Побольше забвения...» — «Не упрощай. Не надо...»

...поезд вышел к морю возле Туапсе.

За окнами побежал пустынный берег, сухие поросли кустов, завалы камней. И вот! Вон там! С раскинутыми руками! Подставив тела солнцу! Недвижными изваяниями из светло-коричневого мрамора! Без одежд-приличий!..

Мужчины прилипли к окнам бледными, незагорелыми еще лицами. Берег тянулся на километры, и на нем... Группами и поодиночке... Стояли, сидели, лежали... Бес-стыд-ницы!

Поезд загудел потревоженным улем. Поезд замотало по стрелкам. Поезд вышел из графика. Поезд сошел с ума. Теперь у окна стояли все мужчины, включая машиниста и кочегара.

— А мне не интересно, — сказал он.

— Врешь, — сказала она.

Прижала щекой к стеклу, приговаривала:

— Смотри… Смотри… Сравнивай…

Они были одни в купе.

Поезд вошел в туннель.

Стало темно.

— Это короткий туннель, — громко сказал он…

Комнату подыскали у самого берега, прохладную, полутемную, в мазанке посреди сада, возле яблонь с черешнями. На стенах висели мутные фотографии в рамках, оклеенных ракушками, и хозяин, кавказский человек, поинтересовался:

— Сколько постелей стелить?

— Две, — поспешил Финкель. — Нам — две.

— Муж-жена?

Соврали:

— Муж-жена.

— Прописаться бы надо. В милиции.

— Обойдется, — сказала Зисл.

— Ну и ладно.

Кавказскому человеку было скучно. Предки его гнездились в горах, пасли овец, выращивали виноград, устраивали засады и совершали набеги, а он торговал на базаре тыквенными семечками. Мерой служил граненый стакан, который честно наполнял доверху, с присыпом, опрокидывая в кулечки из местной газеты или в оттопыренный карман. Когда становилось тошно, бурлила горячая кровь, бежал в огород, рубил головы подсолнухам, топтал баклажаны на грядках, а раздобревшая его подруга, в прошлом завлекательная блондинка, не понимала томлений человека с гор и пряталась пока что у соседей.

Блондинка работала в санатории, на кухне; по вечерам поварихи с посудомойками волокли по боковой тропке тяжеленные кошелки, — отдыхающие посматривали искоса, понимающе переглядывались, а хозяин уже сидел за столом с вилкой в руке, спрашивал в нетерпении: «Что у нас на сегодня?..» Еды было много, остатки сваливали поросенку, но дом не полнился говором, дети у них не заводились, что обижало мужчину, наделенного темпераментом. Жена предложила взять племянника из дальней деревни, вырастить взамен сына, пообещал беззлобно: «Зарежу. Тебя зарежу и его».

Пришел с базара, поинтересовался у приезжих:

— Ребенок есть?

— Ребенка нет.

— Что же вы?

— Что же мы, — повторила она и посмотрела на Финкеля, примериваясь.

По вечерам они усаживались с хозяином под яблоней, пили за отдельную плату его вино, грызли семечки, изнывали от удали баяниста-затейника на затоптанной танцплощадке, от взвизгов курортниц в темных зарослях, которых местные кавалеры с песней увлекали на пробу. К ночи уходили в мазанку, обрывали из окна черешню, сладкую, наливную, черную в потемках, засыпали к рассвету обессиленные, красногубые от спелой ягоды, под шелест морских волн, которые накатывались, казалось, на их укрытие, и покачивали, и укачивали...

5

Хоронили женщину.

Из дома напротив.

Играл духовой оркестр, крышка гроба стояла у забора, лошадь ела сено, подруги лили редкие слезы.

Не плакала только старуха соседка. Сидела в сарайчике и смотрела оттуда на лошадь. Сидела, сложив руки на коленях, и смотрела: то ли повидала много смертей, то ли не оставалось влаги в глазах.

Похороны расстроили всё утро. Из-за похорон нельзя было пройти на пляж, и они оставались в мазанке, затворив двери, слушая глубинные вздохи геликона и грохот барабана. Застучали лошадиные копыта, заскрипела повозка, звуки стали удаляться, затихая за поворотом, но они еще долго не выходили из комнаты.

«Нашлась девочка, звать Люда. Голенькая, с розовым бантиком. Родители, потерявшие ребенка, подойдите к радиоузлу пляжа».

Радисту было тошно. Тощий, жилистый, дочерна загорелый, в шляпе и плавках, он изнывал от жары-безделья, взывая в микрофон:

— Бабоньки! Перегрелись? Иду на вы!

Мужчины в море возбужденно хохотали и заглатывали соленую воду. Мужчины на берегу тоже хохотали, заглатывали теплое пиво.

Одурев сверх меры, радист включал усилитель на полную мощность, и громко, на все окрестности, разносился стальной, раскатистый призыв:

— Внимание! Внимание! Говорит Москва! Говорит Москва! Работают все радиостанции Советского Союза! Передаем важное сообщение!..

Мужчины на песке вздрагивали, женщины замирали на лежаках.

— Сегодня! В двадцать часов пятнадцать минут! По московскому времени!..

Голос достигал немыслимых высот. Голос густел, становился осязаемым, будто сообщал о начале войны, скоропостижной смерти отца народов или о вселенской катастрофе. Голос, который пугал с пеленок, не давая передохнуть.

— Состоится! Одночасовая прогулка! На теплоходе «Иван Березняк!» С выходом! В открытое! Мор-ре!..

— Чтоб ты провалился! — кричали с лежаков истеричные женщины. — Напугал, зараза, аж руки трясутся...

— Голову тебе оборвать! — кричали из воды нервные мужчины. — Добалуешься у нас, щенок...

А он неспешно, буднично, перечислением заслуг покойного:

— На теплоходе «Иван Березняк» буфет...

Долгая пауза и громогласный финал:

— ...не работает! Повторяю...

«Нашелся мальчик, панамка в клеточку. Родители, потерявшие ребенка, подойдите к радиоузлу пляжа».

По утрам она уходила за высоченный забор, который громоздился на берегу, прочный, устойчивый, без единой щелочки, как у секретного объекта.

Женский пляж — секретный объект.

Поскучала до смуглой прелести, пококетничала с радистом, и он допустил ее к микрофону.

— Нашлась женщина, — призывно понеслось по окрестностям, — в нескромных одеяниях. Чувствительна, привлекательна, еще хоть куда. Обнаружившего пропажу просят срочно подойти к радиоузлу пляжа.

К будке сбежались мужчины. Стояли кучно, возбужденно переговаривались, — ночью она сказала обидчиво:

— Все тебе завидовали. Все!..

Мазанка была на две комнаты. За стенкой поселилась мама с пухлой, белобрысой дочкой-дурой, которая была уверена, что за деньги попадет в университет. Дочка перемигнулась на пляже со знойным грузином, покрытым мужественной порослью, и сообщила по секрету соседям, что ночью ее украдут.

— Он полезет через ваше окно. Так мы договорились.

— Я буду спать, — решила Зисл. — Пускай лезет.

— Я спать не буду, — решил Финкель. — Как бы тебя не украли...

Но в окно никто не полез, ни в ту ночь, ни в последующие. Дуру-дочку не украли, таких не крадут; скорее умыкнули бы ее мамашу, солистку танцевального ансамбля, привлекательную не по возрасту.

Утром оглядела его внимательно, как увидела впервые, сказала нараспев:

— Ты, Финкель, полез бы за мной в окно?

— Куда угодно, — ответил. — Мне без тебя — погибель.

Это ей не понравилось.

— В наивности твоя сила, Финкель, даже обманывать не хочется... Что ты прилип ко мне? Вон сколько красоток, всегда пожалуйста! Ты, Финкель, недостаточно безрассуден.

Повинился:

— Недостаточно.

— Это мы поправим.

Увлекла на ночной пляж, уплыли за буйки, ушли на глубину в иное бытие, невозможное на суше, — дыхания хватило на многое. Был восторг, была и боязнь столкнуться с холодным, скользким подводным существом, с его прикосновением к обнаженному телу. Уходили на дальний берег, купались, собирали камни, обкатанные волной; груду камней распихали по карманам, чтобы не платить за перевес багажа.

Самолет взлетел, и ребенок по соседству потянул к ней руки:

— Дай бусики.

— Не могу, — ответила без улыбки. — Подарок мужчины. Вот этого.

Ему сказала:

— Глупые мы, глупые, Финкель. Родили бы теперь мальчика... — взглянула коротко, впритык, оценив и приняв к сведению.

6

Был Новый год.

Немалые его надежды.

Пузырилось шампанское. Столы привлекали снедью. Женщины завлекали нарядами.

Прослушали бой часов с Кремлевской башни, прокричали «ура», выпили по первому бокалу, и Зисл сказала:

— Выхожу замуж.

— За меня?

— Нет, Финкель, не за тебя. Была вольной пташкой, стану птицей окольцованной.

Ночью бродил возле ее дома, пьяный от вина, обиды, жалости к самому себе, грозил кулаком этажу ее обитания. Подвыпивший дядечка не мог попасть в свой подъезд, промахиваясь с каждой попыткой, и Финкель сообщил ему доверительно: «Мне кошки дорогу перебегают. Черные-пречерные. Повсеместно и неукоснительно». Дядечка ответил обреченно: «Всем перебегают...» — и снова не попал в дверь. Финкелю не понравились его слова: «Что бы ты понимал, алкаш! От меня женщина уходит, ясно тебе?» Тот ответил: «Женщина — она от всех уходит...» Закричал, затопал ногами: «Прекрати сейчас же! Не покушайся на мою исключительность!» Втолкнул дядечку в подъезд.

Назавтра она сказала:

— Не выхожу, не выхожу... Я передумала.

Развеселилась, закружила его по комнате:

— Обиделся? Нет, ты обиделся? Как тебе непросто будет со мной...

Светофоры зеленели, когда торопился к ней, машины расступались услужливо, водители пропускали без прекословия. В палатке над бурливым потоком, под кленового листа пожар, они заползали в широченный спальный мешок, скроенный на двоих, засыпали в обнимку, вдыхая общие выдохи. Или спиной к нему, бедрами в выемке его живота, как чашка и блюдце, ее чашка, его блюдце. «Не выкладывай себя, Финкель, — остерегал незабвенный друг, — всего не выкладывай. Что-нибудь оставь про запас».

Встречи продолжались. Продолжалось мучительное ликование. Впопыхах. Урывками. Жгучим верховым палом по макушкам сухостоя, под ураганный ветер, не опускаясь до корневищ. «Мы еще до или уже после?» — «До. Всегда — до. Что ты затих, Финкель? Скажи слово». — «Можно я буду любить тебя молча?..» Возле нее было блаженно засыпать, не ощущая веса тела, и открывать поутру глаза в ожидании неотвратимого, словно выдали ее временно, на подержание, но скоро подойдут и отнимут. «Не по заслугам, — скажут. — Не по мужским вашим достоинствам».

— У тебя хороший характер, Финкель, — говорила, примериваясь. — С тобой можно жить.

Феликс Кандель

Любовь держится на тайне, на неисчерпаемости души, которая изумляет и покоряет. Звонила поздним вечером: «Финкель! Ставь чайник...», и он вставал на балконе, высматривая появление такси, хлопанье наотмашь дверью машины, стремительный пробег к подъезду. Останавливалась на мгновение, вскидывала голову — ждет ли, томится ли, взлетала по лестнице, не дожидаясь лифта, врывалась вихрем в распахнутую дверь: кофе без сахара, ломтик брынзы, обрывание пуговиц и крючочков.

Прибегала и под дождем со снегом, промокшая, продрогшая, — переодевал в сухие одежды, высушивал волосы, дыханием обогревал ступни ее ног, укладывал под пуховое одеяло. «А обласкать?» — «Непременно». Затихала, выговаривая молча, глазами: «Меня никто так не любил. Никто». — «Любовь? Разве это любовь?» — «А что же?» — «Жизнь моя».

Ранним утром бежали на работу, и она вставала посреди тротуара:

— Взгляни на этого юношу. Он влюблен, и всю ночь ему отвечали взаимностью.

— Откуда ты знаешь?

— Он же кричит. Всем видом своим: «Не с вами! Не с вами!.. Она со мной! Мы с ней!..»

— И я кричу?

— Еще как! Прохожие угадывают и наверняка завидуют.

— По тебе тоже угадывают?

— Ну уж нет. Мы умеем скрывать свои чувства.

Опускались на эскалаторе в подземные глубины станции «Арбатская», навстречу поднимались военные, много военных, она кричала: «Смотри, смотри, сплошные полковники! Раз, два, восемь...» — «Перестань. На нас смотрят». А она хохотала: «Одиннадцать... Пятнадцать... Двадцать восемь... Куда столько?» Продвигались в переходе метро, в пыльной его задавленности, посреди заспанного хмурого люда, под шарканье бесчисленных подошв, стиснутые, почти бездыханные, мелкими шажками под нависшим куполом, продавливаясь к поездам обуженными лестничными спусками, и она сказала: «Враг тот, кого толкаешь в спину. И тот, кто толкает в спину тебя». Ответил: «Я так не ощущаю». Взглянула коротко, стремительно и отвернулась, снова оценив, приняв к сведению.

А ему снилось: вот она раскрывает чемодан, наполняет его одеждой, аккуратно, неспешно, продуманно; поверх вещей укладывается крохотная собачонка с печалью в глазах, чтобы и ее упаковали, взяли с собой. Откуда она взялась, такая привязчивая, которую некому приютить? Не было у него собаки, никакой прежде не было. «Не распахивай душу, Финкель, — уговаривали знатоки, — потом не затворить. Беги от нее, беги, Финкель!..»

Утро без нее не начиналось, вечер не заканчивался. Можно ли притворяться счастливой? И как долго?.. Снова сказала:

— Выхожу замуж.

— Кто же он?

— Старше тебя. Умнее. Надежнее.

— Шутишь.

— Теперь не шучу.

Заполоскало парусом, потерявшим ветер. Взметнуло в обиде:

— Что он умеет такого, чего я не умею? Что знает, чего я не знаю?..

— Не смеши, Финкель. Не ожидай от меня того, чего сама от себя не ожидаю.

Была еще одна встреча. Через пару недель. Выждала его на улице, увлекла в чей-то дом, на чью-то постель, под жгучее отчаянное исступление:

— Всё! Можно теперь и замуж...

Вышла из машины, зашагала, не оглядываясь, стремительно, непреклонно: платье палевых тонов завивалось вокруг колен, мужчины на улице смотрели вослед. А он ждал месяцами, ждал и надеялся, высматривая с балкона появление такси, стремительный пробег к подъезду, дверь нараспашку: «Обиделся? Нет, ты обиделся?..» Ждал. Переждал. Перегорел...

...бисерная мразь сыпалась с угрюмого неба. Темный Пушкин, отвернувшись, клонил голову. Букет у постамента раскис от сырости. Буквы на крыше «Известий» резво гнались друг за дружкой, отчаянно ныряли в пустоту, пытаясь угнаться за событиями на земле. Было шумно, промозгло, знобко и неприкаянно. «Что он умеет такого, чего я не умею?..» Сотряслась скамья под грузными телами, женский голос прозвучал так, будто жирный кусок колом застрял в горле: «Люба у Нины ела заливное. Она об этом только говорит». — «Об этом, — подтвердил. — Только об этом. О чем же еще?» И побрел домой…

Ранним утром она позвонила по телефону. Голос грудной, чарующий, сводивший с ума поклонников, — как вчера расстались:

— Спишь?

— Сплю.

— Ставь чайник.

Прежний широкий шаг, спина прогнута, шляпа с широкими полями затеняла глаза, но что-то стронулось, сместилось в ее осанке, проявилось непременное старание сохранить прежний облик. Вошла независимо, сказала без объяснений:

— Не спрашивай. Не задавай глупых вопросов.

— Как мы теперь? На ты или на вы?

— Не дури, Финкель.

Выпила в молчании кофе, жадно, большими глотками. Откинулась на спинку стула, будто по окончании изнурительной работы. Взглянула глазами в глаза:

— Какое слово выберем для нас?
— Скажи ты.
— Непредсказуемо.
— Непредсказуемо?
— Непредсказуемо, — повторила.
Больше они не расставались.

7

В кровати, лицом кверху, спит старый человек, руки поверх одеяла. Тельняшка вместо пижамы, будто у шкипера на пенсии, по лбу пробегают легкие тени — событиями ушедшего дня. Так лежал он в палатке, в этой, может, тельняшке, а Зисл разглядывала его строго, неотрывно, руки прижимая к груди, чтобы разбудить под утро и сказать: «Выхожу замуж». — «Шутишь». — «Теперь не шучу».

Не расспрашивал о первом браке, не предполагал, не угадывал, — однажды проговорила во мраке спальни:

— Он не уговаривал, знал, должно быть, — не удержать. Сказал на прощание: «Ты из породы терновника, с виду безобидного. В который погружают руку без помех, а вынимают — оставляет отметины. На теле и на душе».

— Это и мне памятно.
— Не забыл, Финкель?
— Не забыл.

Он улыбнулся, она улыбнулась, головой потерлась о его плечо.

— Думал, наверно: «Какое счастье, что выбрала не меня...»

— Не было такого.

— Не ври, Финкель. У тебя не получится.

Признал с неохотой:

— Было однажды...

В столе, в дальнем его ящике, запрятан альбом ее детства, в глубинах которого затаился давний снимок, пожелтевший, с трещинами по глянцу и ломаным уголком.

Девочка Зисл в обнимку с папой Моисеем. На диване. Возле пушистой елки на крестовине, где хрупкие стеклянные шары на ветвях, которые боязно взять в руки, картонные домики в щедрой изморози, петушки-зайчики, конфеты на нитках в цветных обертках, грецкие орехи, выкрашенные под серебро, редкие по тем временам мандарины посреди украшений, серебряная канитель водопадом до пола, переливчатый шпиль на макушке и непременный Дед Мороз в глазурованной шубе, щедро обложенный ватой.

Есть люди, и их немного, которые способны делать нежданные подарки, — папа Моисей умел.

Принес обрезки шелковой ткани, белого невесомого полотна, подобранные у друга-портного, снял кольцо с пальца и принялся чудодействовать. Обмазывал кольцо изнутри — краской для шелка, всякий раз иным цветом, протягивал через него обрезки, и на глазах у Зисл они расцветились переливчатыми узорами, смытыми, легкими разводами по ткани, пригодной на блузку для дочери, на шарфик и косынку, которые тешили взор в общей бесцветной скудости, вызывали интерес и зависть при взгляде на девочку-фонарик.

Он был добрый, папа Моисей, не растеряв теплоту с приязнью в пуганую пору, когда граница страха пролегала возле тапочек, куда опускали ноги при пробуждении, ступая опасливо в новый день.

— Сладкая моя, — говорил, — веселись, когда весело. Печалься, когда печалится. И не разбрасывайся теми, которые полюбят тебя больше самих себя. Таких будет немного.

Друзей наставлял позабытой истиной:

— Слово не вколачивается, а внушается. Берегите слезы ваших детей, чтобы не растратили их попусту и проливали потом на вашей могиле.

Он был доверчивый, папа Моисей, с округлым животиком, бестолково суматошный и подслеповатый — восемь диоптрий, вечно опаздывал и всюду поспевал, появляясь с виноватой улыбкой, за которую ему всё прощали. В доме беспрерывно трезвонил телефон, подбегая, кричал в трубку, готовый помчаться на помощь: «Спешу! К тебе! Одной ногой в ботинке!..»

Попросили для террасы пару листов стекла — пригнал самосвал со стеклянным боем. Попросили для сарая пару досок — привез дом разобранный, гнилой, трухлявый, ощетинившийся ржавыми гвоздями. Попросили вату — законопатить окна, приволок пару мешков шерстяных очесов, грязных и вонючих. Его боялись просить. Ему остерегались намекать. Папа Моисей угадывал сам, сам привозил, сам и разгружал: то ли благодарить, то ли проклинать.

— Мы потрясены, — кривились его жертвы в потугах признательности. — Твоими стараниями. Но больше ничего не надо. Ни-че-го.

А рисовальщик он был замечательный, многие это признавали. После войны ходил по деревням — похоронки в каждой избе, брал крохотные фотографии сгинувших мужей, писал, приукрашивая, портреты, за которые вдовы расплачивались молоком, яйцами, ведром картошки. Портреты вешали над кроватями, возле клеенчатых ковриков с плавающими лебедями, проливая слезы по ночам, на одинокой постели, выглядывая старость в мутных, оплывших зеркалах, отбывших свой срок.

Над Моисеем потешались именитые коллеги, а он отвечал с той же виноватой улыбкой: «Дурачье вы, дурачье! Я им в утешение. Один я на земле». Когда отца не стало, хотела заказать картину с того снимка, непременно с елкой, стеклянными шарами, блестками по ветвям, да так и не собралась. Перед уходом отец не мог говорить, лишь накарябал в блокноте нестойкими буквами: «Сладкая моя! Дальше пойдешь одна. Почувствуешь слабость на своем пути, страх или ненависть, кликни — я отзовусь...»

Отцовской любви достало надолго: не раздарить-потратить. Когда подходила к краю, один шаг — из окна на асфальт, хватала старую фотографию, где с папой Моисеем возле елки, кричала отчаянно: «Выручай!..» И он выручал. Но здесь, на расстоянии, такое плохо помогало. Где его могила и где она со своей болезнью, изъевшей изнутри...

Вскидывалась в ночи, вздыхала, могла всплакнуть — горько, отчаянно, по-детски, словно прощалась, могла проговорить невнятно, в жаркой мольбе: «За что, Господи?..» Жизнь продолжалась во сне, тайная, глубинная, неразгаданная; жизнь заканчивалась при свете дня.

Предлагал ликующий старик: «Подберем ей иное имя. Освободим от прежних огорчений. Начнем заново, с чистого листа, чтобы смерть обошла стороной. Орит — замечательное имя, Орит-Светлая: такое имя хорошо и на старости. Ронит-Ликующая: тоже годится. Таль-Роса. Нурит-Лютик. Сигалит-Фиалка...» Возражал старик опечаленный: «Имен много — не перебрать, но сохраним прежнее. Зисл. Сладкая-

Зисл. Которой определено смеяться вначале, лить слезы в конце…»

Она первой прочитывала его рукописи, признавала со вздохом: «Ты, Финкель, не мой писатель». Это его огорчало. «Ты — мой человек». Это радовало. Шепнула на уходе — редкая, не для всякого, похвала:

— С тобой было не скучно, Финкель. В дневное и ночное время.

Улыбка ее, подобие вымученной улыбки, как приоткрылась с опаской дверца перед ночным пришельцем.

— Не вычерпала тебя, Финкель, времени недостало. Не вычерпал ты меня. У нас хорошие воспоминания, муж мой. Береги их…

Открывает глаза. Привычно обследует беленый потолок, на котором проглядывают узоры памяти, смытые, легкие, как на шелковом полотне папы Моисея. Негромкие, наперебой, признания напитывают комнату тишиной печали. Слова — капельным источником в горах, наполняющим углубление в скале…

«…слетал разок в Вену. Ходил по улицам, как по Большой Молчановке. Та же архитектура, те же дома — люди иные. Всё думал, ты выйдешь из-за угла». — «Со двора». — «С твоего двора». И наперебой: «Возле школы…» — «Где детская была поликлиника…» — «Львы на входе…» — «Стол посреди приемной с картинками под стеклом...» — «Запах укола...» — «Это уже не Большая...» — «Малая Молчановка...» — «Чего мы тогда поссорились?..»

Светлеет потолок. Пустеет. До иного — как повезет — видения.

Остается фотография возле кровати, с которой смотрит на него, не отрывая глаз, ждет чего-то, чего-то добивается. «Чтобы ни один не жил дольше другого, Финкель. Не смог, даже если бы захотел. Не захотел, даже если бы смог...»

8

— Ты куда? — интересуется Ая, заранее печалясь.

— Ты куда? — вторит Ото-то, заранее тоскуя.

А реб Шулим ничего не спрашивает. Стынет под апельсиновым деревом, отгородившись от слов и поступков, задавая сочинителю неразрешимую загадку; бутылка с водой наготове, чтобы жадно, из горлышка, смыть докучливую фразу, скопившуюся на выходе. Не засекречен ли каждый его слог?

Апельсины провисают над головой реб Шулима. Шесть, их теперь шесть.

В автобусе Финкелю уступают место. «Спасибо, — говорит ликующий старик. — Мы постоим». — «Мы посидим, — возражает старик опечаленный. — Спасибо».

Сутулится юноша в черной шляпе — пейсы заложены за уши, шевелит губами, считывая псалмы с крохотной книжечки. «Ему это интересно?» — «Ему это нужно». Смотрит неотрывно на юношу. Раздумывает, прикусывая фалангу пальца. Соглашается: «Пожалуй, что так...»

На сиденье напротив — дураковатый губошлеп и постаревший, прокуренный до хрипа, иссохший ловелас с пожидевшей седой косичкой, в узких обтягивающих джинсах; остроносые туфли на высоком каблуке, черная шляпа набекрень с металлическими цацками по тулье, в руке пачка сигарет. Перхает от курева, отчего немощно подпрыгивает косичка, поучает соседа:

— Ты думаешь, женитьба вроде помпы: качай и качай? А деньги? А квартира? Тряпки? Еда? Машина? Соски-коляски? Да она еще не захочет работать.

— Что же делать?

— Жениться. Что еще? Чем ты лучше нас?..

«Как же это? — изумляется Финкель. — Разве оно так?..»

За спиной — старческий подрагивающий голос, то ли мужской, то ли женский:

— Шесть лет его любила. Шесть лет ненавидела. Три раза уходила от него. Три раза возвращалась... Потом умерла.

На кладбище пусто.

Узкий проход посреди могил по бетонному покрытию, в глубины каменных наслоений, привычной тропкой во снах...

«...не ходи так часто, не надо, — уговаривала его, потревожив в ночи. — По вторникам не ходи, по средам, по всяким дням не топчи дорожку...» Шуршит целлофан от усохших букетов. Ржавеют стаканчики поминальных свечей. Буреет спекшаяся пыль на плитах. Провожать надо тихо. И уходить тихо. Лежать неприметно, без оваций, отработав свой срок.

Тишина подступает после смерти, незачем ее нарушать.

Вздыхает Ривка-страдалица: «Эти живут так, будто никогда не умрут. Те умирают, будто еще не жили». Там, на далеком подмосковном кладбище, травой зарастает память. Им, в тех могилах, за сто — отцу с матерью, им бы уже не жить, даже безвременно ушедшим, и скорбь обращается в дымчатую печаль. Там же, неподалеку, братские могилы сорок первого года: «...Кузьмин И. К., Лягушкин В. С., Михельсон Е. И., Оливанов С. Н. ...» — перечень неисчислим.

Еще ряд могил.

Еще два ряда.

Мимо черного камня с впечатанным детским рисунком. Домик о два окна. Дверь нараспашку. Трава — зелеными почеркушками. Цветы выше крыши. Лучистое солнышко в уголке, на безоблачном небе, человечек с распахнутыми руками, имя ребенка, укрывшегося под плитой, детскими каракулями — Ора.

Еще ряд.

Еще и еще.

Камни лежачие — не покрыться травой, камни стоячие. Надпись по-русски, которую замечает на ходу: «Опустела без тебя земля...»

«...пришел, Финкель?» — «Пришел, Зисл. Ноги еще держат». — «Хорошо выглядишь, старый человек. Не по возрасту. Такое не проходит безнаказанно...»

Плита, дочиста отмытая частыми посещениями. Надпись квадратным шрифтом: имя-фамилия, две даты, маген-Давид поверху. Рядом — свободное место.

Оглядывает окрестности, глубину небес, высокоствольные кипарисы в почетном карауле. По весне буйно, в ряд, зацветают акации, вскормленные на слезах, щедро осыпают надгробия лиловыми колокольцами; по осени, освободившись от семян, напитавшись горечью утрат, застучат на ветру створками опустевших кастаньет. Свет, воздух, синева — на горе, под сквозистым облаком, выше некуда.

«Неплохо устроился, Финкель», — замечает ликующий старик, хотя ликовать нет причины. «Неплохо», — соглашается старик опечаленный. Пришли как-то на похороны. Огляделись. Восхитились. «Здесь?» — «Здесь». Приобрели два места. Не полагали, что скоро понадобится.

«...отсчитываешь дни, которые без меня?» — «Отсчитываю». — «Беседуешь со мной?» — «Беседую». — «Всё еще один?» — «Один». — «Хватит, Финкель. Погоревал, и будет». — «Я постараюсь...» На плите разложены плоские расписные камушки, омытые дождями. Внучка принесла. Подарок бабушке. «Она же меня не видела». — «Она о тебе слышала».

На свободном месте, рядом с плитой, распушился лавр на толстом стволе, безжалостно укороченный до малого размера. Финкель рассказывает неспешно, она, возможно, слушает:

— Я его подрезаю, но он не желает сдаваться, всякий раз выпускает побеги. Заново и опять заново. Учит меня выживанию.

Треплет его по листве, нежно, заботливо, как взъерошивает волосы ребенку; лавр отзывается на ласку, трется жесткой порослью об отцовскую руку. Финкель обрывает засохший лист, говорит без улыбки:

— Молится, должно быть, за мое долголетие. Чем и продлевает мне годы.

Молчит.

Напитывается тишиной.

Кладет камушек на могильную плиту.

Одинокий старик сутулится поодаль, спорит, выясняя отношения, перебирает незалеченные обиды — слов не разобрать, сводит счеты с той, которая затаилась под камнем. «Нехама — светлой памяти. Мать Гершеле, Йоселе, Янкеле, Рохеле, Миреле. Бабушка Аарона, Шмуэля, Хаима, Реувена, Ханы, Ривки, Эстер. Прабабушка Итамара, Алона, Ионатана, Ронит, Шломит, Ципоры». И слабый его, задыхающийся на верхах голос — молитвой примирения: «Эль мале рахамим...»

Юноша в черной шляпе — пейсы заложены за уши — подходит несмело, говорит одно слово: «Кадиш», и они шагают к дальней могиле. «Да возвеличится и освятится Великое Имя Его...», дружно произносят «Амень», Финкель с ними, неотличимый от прочих. Молитва закончена. Благодарят его, пожимают руку, и он возвращается: куртка нараспашку — мальчиковый размер, картуз на голове — козырек до бровей.

«...кого поминали, муж мой?» — «Шломо Моше бен Шмуэля. Был такой человек». — «Старый?» — «Не старее меня». Одобрение в ее голосе: «Ты для них свой». — «Тридцать, — отвечает. — Тридцать здешних лет. Даже молочный зуб пустил бы корни».

В стороне слышен крик. Женщины сгрудились возле склепа праведника, вздымают руки к небу, выкрикивая сильными, несношенными голосами: «Неужто не натерпелись еще пред Тобой?!..» Замолкают разом, поправляют сбившиеся косынки, сгрудившись, шагают к автобусу.

— Зачем же так громко? — спрашивает Финкель.

Отвечает одна из них, самая, должно быть, неукротимая, — темное лицо, иссохшее в муках, глаза скорбные, запавшие:

— Слов теперь недостаточно. Слова малы для великих бедствий. Кричать надо. Кричать всем — подошло время: «Устыди нас, Господи!..»

Добавляет другая, поплоше и поокруглее:

— Не тормошат Его понапрасну. Не вмешивают в никчемные свои заботы. Но возопим плачем великим: «Доколе, Господи?..», препояшется милосердием, отведет беду от порога.

Уходят дружно, в ногу, с задания на задание. Финкель шагает следом.

— Пора возвращаться. На последний этаж. Там и покричим. Там слышнее...

...верующие взывают к Создателю, плачут-умоляют, неверующие взывают — стесняются. Ночью они объявятся на беленом потолке, пленницами ушедшего дня. Женщина построже — глаза запавшие, в темных провалах — скажет сурово: «Не миры ищите, которые затеряны. Ищите затерянный свет, его рассеянные искры...» Женщина поплоше — личико сморщенное, шляпка на голове перевернутым горшком — подступит вплотную, станет вопрошать с пристрастием: «Грешишь?» — «Бывает», — ответит Финкель. «Вожделеешь в помыслах?» — «Случается». — «Утоляешь жажду в чужих водах?» — «Не без этого». — «Ешь недозволенное?» — «Когда как». Взмахнет кулачонками: «Косточки хотя бы! Косточки не обсасывай, грех свой не услаждай! Призовут — не отвертишься…»

Проявится и мама-миротворица в шерстяной кофте, не обеспокоит просьбами. «Сыночка, что ж ты так убиваешься? Поживи еще, сыночка. Мы тут. Мы близко. Будем тебя выглядывать…»

Завершается день третий, полный неясных замыслов, дабы возопить на языке страданий, пробивая потолок и черепичную крышу: «Господи милосердный! Если ее не стало на свете, для чего я тогда?..»

9

Гаснут окна в ночи.

Утихают голоса.

Птицы укладываются на отдых в купах деревьев, переговариваются сонным шепотом:

— Ше-кет…

— Д-ма-ма…

— Ду-мия, Пинкель, ду-мия…

Гукает на отлете птица оах, шелестит невнятно: «Тоску, Пинкель, в чужой карман не упрячешь. Кто положит камушек на твою плиту? Ах, Пинкель, Пинкель…»

Выходит на кухню, грызет сухарики, смакует малыми глотками чай с лимоном. Так он засиживается допоздна, перебирая встречи и расставания ушедших лет; кукушка на костылике выскакивает наружу — взглянуть на Финкеля, пожалеть или ужаснуться, молча убирается обратно.

Сутулые одногодки подстерегают его на перепутье старости, под кряхтенье-вздохи-недомогания, но он запаздывает, Финкель, он вечно запаздывает: ты же не бегун, друг мой, не спеши на финише. На час раньше лег, на час позже встал, и сдвинулось, покатилось под уклон до отвисшей губы и смыкания сосудов, в незавершенности дел, поступков, откровений. Держи дыхание, старый человек, не останавливайся через сто метров, не останавливайся через двести — выходишь на последний круг, приятель, помни об этом и держи дыхание ради внучки своей Аи...

Телефон вскрикивает коротко.

Пережидает мгновение.

Заходится в долгом, нескончаемом звоне, перепуганный насмерть, кричит отчаянно, безнадежно, накликая беду и умоляя.

Замолкает, надорвавшись от усилий, вновь взывает о помощи.

Наваливает на него подушку, и телефон тюкает, не унимаясь, слабо и невнятно, словно в спичечном коробке скребется обессилевший от ужаса жук.

Не докричавшись, умолкает...

Финкель просыпается на рассвете — внучка стоит рядом, терпеливо ждет пробуждения.

— Де-душ-ка... Когда мне исполнится сто лет, сколько будет тебе?

— Много, моя хорошая. Так сразу не сосчитать.

Закусывает в волнении губу, ладонь трет о ладонь, голубенькая жилка набухает на лбу:

— Не хочу взрослеть. Не хочу — не буду. А то ты состаришься и умрешь.

— Я не состарюсь, — обещает Финкель, но уверенности в голосе нет.

Падает в траву еще один апельсин, и остается их пять, ровно пять, которыми не налюбоваться в тоске от неизбежного...

ЧАСТЬ ЧЕТВЕРТАЯ

Взгляни и удивись!

I

Летом солнце безумствует над городом, нещадно лупит по стеклам: ярое, рьяное, свирепо-безнаказанное, разнузданное от жгучего усердия. Выставляя напоказ неспешные улицы без полутонов, скрытности, недомолвок, перетекая в ночи душного мрака, распахнутых окон, балконных дверей, оголенных тел на скомканных простынях — нажгло за долгий день.

Где-то потоп, хляби непролазные, наводнения с затоплениями, а их обходит стороной дождями, даже не накрапывает из кисейных облаков, истаивающих в вышине. Иссушены тела и чувства, выпарены соки трав, выжжено дыхание цветов, в тайну которых не проникнуть; листва обвисает в пыльной покорности — не дотянуть до первых дождей.

Жалюзи на окне приспущены, понизу полоса для обозрения, смотровой щелью в танке.

Солнце опускается в провалы, исчерпав к закату излишки лютости, бронзовеет за кромкой горы, притихшее, ублаженное, остужая себя в Великом внутреннем море. Стекла в домах плавятся напоследок жаром отраженного светила, гудит сирена к наступлению седьмого дня. «Шабат шалом», — приветствуют субботние евреи: меховой штраймл на голове, атласная капота на плечах; из каких веков явились эти люди — черные чулки на мальчиковых ногах, с каких портретов сошли, живущие во времени, не в пространстве? «Шабат шалом», — отвечает негромко, затерявшись в обуженных просторах существования.

Слух ухудшается к старости, чтобы расслышать самого себя. Зрение слабеет, пытаясь отринуть мелочи и сосредоточиться на главном. Лишь обоняние не подводит: из дома напротив победно вырываются пряные ароматы, от которых не жди пощады, прокладывают путь в потаенные сокрытия памяти. Мамино жаркое с проваренными кусочками телятины, лук, морковь, черный перец с лавровым листом, курага для сладости, измельченная на терке картошка в густоту мясного соуса, который хочется вымакать свежим хлебом, — к теплу, уюту, несуетливому покою.

Семья за столом в доме напротив: родители, неистощимые в чадородии, их дети, нарядные и притихшие; поют хором, отбивая ладонями по столу, подрагивает в бокалах бордовое вино. Напев этот был напевом их дедов; он жив, субботний нигун, но как ему отозваться?.. Глядеть в щель на чьи-то радости из затаенного укрытия — не переглядеть.

Летом можно ходить босиком по плиточному полу. В жару холодит ступни ног, будто в Греции, Италии, Испании: одно море на всех, одно пекло, та же волна накатывает на берег от Валенсии до Ашкелона, то же апельсиновое цветение дурманит головы. Не окунуться в воды текучие — смыть пелену непокоя, не охладиться в водах стоячих.

«Ты живешь, обернувшись в прошлое, Финкель. В изнаночном мире, который не желаешь покидать. Нельзя так, человек без настоящего». Упорствует. Уговорам не поддается. Наскокам. «В сегодняшнем мире я живу. С этим светом, цветом, звуком, обогащенный печалью. Вот где я живу. И как. И с кем. Кому-то и такой нужен».

А за столом он сидит — самый старый. А еду ему подают — самому первому. А обращение к нему — самое почтительное. Но запрятался в нем Детеныш-Финкель, который удивляется своему возрасту, который с ним не согласен.

2

Валялась на газоне огромная плата, поперечный спил со ствола могучего эвкалипта, выброшенный за ненадобностью.

Приволок плату домой, водрузил на балконе, поставил на нее пластмассовое полушарие от настенной лампы, отслужившей свой срок, наполнил землей доверху и стал ожидать результатов.

Ветер заносит семена, птицы оставляют недоеденные семечки, и вот — надо же, надо же! — крохотная пальма раскрывает жесткие свои, скрежещущие на ветру ладони с растопыренными пальцами, кактус, ощетинившись, топорщит колкие иглы, жимолость обвисает по краям плафона, приманивая духовитостью, стебли сорняка, острые, кинжальные, безжалостно прокладывают путь в густоте произрастаний, да проглядывает нечто меленькое, пугливое, голубоватой россыпью, спорами занесенное из надземелья, — только заикнись об этом, затаскают по психиатрам.

Дедушка с внучкой выходят на балкон, разглядывают опытную делянку в ожидании неведомых проявлений, а в трещинах эвкалипта уже поселились ящерицы, вывели деток, которые греются на солнце, пугливые, сторожкие, не доверяющие никому, даже девочке

Ае. Дедушка изыскивает возможности поведать о чудесах, ее окружающих; внучка липнет к нему, а родители ревнуют, не скрывая, словно покушаются на их права. «Имейте в виду, — полагает Финкель, но о том не говорит, дабы не усложнять отношения. — Этот ребенок на острие поколений. Мы тоже за него в ответе».

Рассказывает:

— Когда поливаем из шланга, от шума просыпаются ящерки, прислушиваясь к буйству падающей воды. Их мама говорит: «Ах, дети, дети! Мир уже не тот, шустрые вы мои. Раньше не бывало дождей в летние месяцы, ни единой капли, теперь потоп что ни вечер». — «Потепление, — объясняет папа. — Всеобщее». — «А где вы прежде жили?» — спрашивают малыши. «Прежде?.. Жили в горах. Под камнем. Сухо было. Хорошо». Ящерка-папа забегает в комнаты, обшаривает углы, присматриваясь к обитателям дома, сообщает затем ящерке-маме: «Как живут! Как беспечно живут эти двуногие!.. Отбрасывают ли они хвосты в случае опасности? Вот в чем вопрос».

Ая вздыхает от удовольствия. Потом тревожится:

— Эта лилия на балконе. Робкая. Неприметная. Затворилась, зажмурившись, расцветать не собирается. Отчего так, дедушка?

— Мы же ее пересадили, — объясняет. — В другой горшок. Переставили с места на место, напугали и обеспокоили, застигнутую врасплох, — с людьми тоже случается...

«...случается, еще как случается!» Нашептывала ему, пробиваясь через немоту потолка: «Жизнь досталась краткая, Финкель. Оттого, наверно, и спешила, застигнутая врасплох, жадная на цвет, вкус, лица и ароматы; всё бы высмотрела, всех бы вызнала, всё бы испробовала. Остаешься за меня, муж мой. Ты уж не подведи...» Нашептывал ей: «Выбери цветок по желанию, посажу в глиняный горшок, лицом к тебе. Станешь поливать дождями...» — «Розмарин. Выберу розмарин, который долговечен. Чтобы зависал над ним цуфит, чудо перламутровое: взгляну и порадуюсь...»

— Де-душ-ка... Ты кто таков?

— Старичок-кузнечик.

— А я?

— Девочка-ручеек.

— А ба-буш-ка?

— Бабушка-фонарик...

Подступает день четвертый, который не принесет героям заметного облегчения, не устранит неловкости в их отношениях и не позволит расстаться с прошлым или отречься от буду-щего...

3

После завтрака они выгуливают Бублика.

В подъезде, возле окна, висят почтовые ящики. На подоконнике пристроилась кошка рыжее рыжего, даже глаза в рыжину; бока раздуты, как щеки у хомяка.

Финкель возглашает:

— Начинаем игру «Взгляни и удивись!» Кто первый?

— Ты. Твоя очередь.

— Значит, так... Кошка возле почтовых ящиков. Пригодная для удивления, потому что ожидает почтальона. «Вам пишут», — и проходит мимо, к ее сожалению. «Вам написали», — и она торопится в квартиру: «Мьяу-мьяу! Нам письмо...»

Ая:

— Или телеграмма...

Ото-то:

— Или посылка...

Хором:

— А в той посылке... Взгляни и удивись!

Выходят во двор.

Бублик убегает по своим делам.

Оглядывают окрестности: высмотреть и удивиться.

Сойка на кипарисе вскрикивает хрипло, пронзительно, удовольствия от своего голоса не получая. Шракрак-пчелояд, шмелиная погибель, ширкает крылом, отлавливая на бреющем вираже гудливую, в натруженном полете жертву. Наглая ворона вышагивает вперевалку по газону, взлетает лениво, грузно набирая высоту, в клюве обертка от печенья — зачем ей эта обертка?..

На ближнем дереве, на нижних его ветвях, висят обезьянками, вниз головой, неотличимые сорванцы, корчат рожи:

— Не достанешь! Не достанешь!..

— Значит, так, — сообщает Ото-то. — Близнецы на дереве. Таль и Амир. Дети нашей Ханы.

— Не удивляет, — отвечают хором.

— Мауглята, — говорит Ая. — Живут на ветках. Едят бананы с апельсинами. Знают два слова: «Не достанешь!»

— Удивляет, но не очень.

Очередь за дедушкой.

— Риш и Руш. Оранжевые карлики из африканских земель. Которых добела отмыли под душем.

— Карлики, — пугается Ото-то, готовый к отступлению. — С отравленными стрелами?..

— Стрелы остались в Африке.

Это его успокаивает.

— Не достанешь! — кричат Риш и Руш, обвисая на ветках. — Не достанешь!..

Кидаются мелкими шишками. Языки высовывают. «Таль в меня, — утверждает Хана. —

Очень ласковый. Амир тоже ласковый, но иначе. Так я их различаю».

Лежит у забора картонная коробка, из-под которой выглядывает нечто мохнатое, вроде палочки, обросшей волосами, подрагивает в пугливом ознобе.

— Хвостик! Живой хвостик!..

— Чей же он?

И наперебой — маленькая девочка, старенький подросток, нескладный верзила:

— Беличий...

— Кошачий...

— Барсучий...

— Ничей он! Ничей! Живет сам по себе!..

— Хвостики сами не живут, — сообщает Ото-то. — Я знаю.

— Живут, — возражает Ая. — Здесь и повсюду.

— Перед нами перелетный хвостик, — полагает Финкель. — Отдохнет — полетит дальше. В теплые края.

Зовут Бублика: пусть разберется.

Тот прибегает и деловито, без размышлений, ныряет под коробку, откуда торчат теперь два хвоста. После знакомства и недолгих переговоров вылезает наружу замызганное создание — дитя недоедания, тощее, ободранное, на шатких, подламывающихся лапах. Боком прижимается к новому приятелю, брюшком припадая к земле, хвостик поджат, глазки скорбные, виноватые, снизу вверх на повелителей, решающих собачью судьбу, — как же такую не приютить?

— Хорошая собачка, — определяет Финкель. — Благородных, возможно, кровей, но очень запущенная. Возьмем?

— Возьмем, — соглашается внучка и добавляет в полноте чувств: — Ах, ка-кая уродистая...

— Нет такого слова, — возражает дедушка, знаток русского языка.

Внучка упрямится:

— Сказано, значит, есть.

И правда, есть такое слово. К вечеру Финкель подивится, разыскав в любимом словаре: «Уродистый — немного смахивающий на уродливого».

Идут домой, моют собачонку под душем, вычесывают колтуны, смазывают ранки на истерзанном тельце, скармливают пару котлет, затем Бублик ведет ее на свою подстилку.

— Решено, — говорит Финкель. — Поживет у нас. И имя ей — Ломтик.

К ночи Ая заберется в его постель, уткнется носом в выемку над ключицей, и он поведает:

— Прошла молва по миру, будто дедушка с внучкой привечают животных, и началось — не остановишь. Притопал носорог из дальних африканских саванн, занял кладовку и затих. Приползла анаконда, обвилась вокруг ножки обеденного стола, стала так жить. Пума объявилась, не спрашивая дозволения. Пара наглых шимпанзе поселилась в шкафу... Теперь ты.

Ая продолжит:

— Ворона прилетела с воронятами и оберткой от печенья. Ящерки проскользнули в дверь, мышки-ежики. Муравьи натаскали еловых иголок, соорудили жилище посреди коридора... Теперь ты.

— Жираф прижился на балконе. Бегемот залез в ванну и напустил теплую воду. Вирус забрел в компьютер. Напоследок прилетела птица оах, уселась на холодильник, стала ухать по ночам, пробуждая обитателей квартиры, а днем молчала, набираясь сил для нового уханья. Собрался семейный совет: что делать? «Я не высыпаюсь, — сказала мама Кира, — и потому сплю в автобусе, пропускаю нужную остановку». — «Я не высыпаюсь, — сказал папа Додик, — оттого задремываю за рулем и еду на красный свет». — «Я не могу заснуть, — сказал худородный Бублик, — отчего злобствую от недосыпа и способен кого-нибудь укусить». А дедушка с внучкой промолчали, потому что радовались каждому гостю и дружно говорили: «Возьмем...»

Ая вздохнет, ублаженная:

— Де-душ-ка... Что такое — при-ве-ча...

Ночью она проявится на потолке, ушедшая до срока, взглянет строго: «У меня тоже есть игра, не хуже вашей. Перебирала в памяти лица, всё хотела понять, каким ты стал. Высмотрела и не удивилась...»

4

Возглашал незабвенный друг, чудила и неугомон:

— Мы не мыслители, Финкель. Не Руссо-Монтени. В чувствовании наша сила. Так чувствуй, черт побери!

— Рад бы, да как?

— Подстегивай воображение. Поощряй живость натуры. Семя вырабатывай в избытке: пусть будет. Эти, которые вокруг, не застегивают у рубашки верхнюю пуговку. В лучшем случае. Ты не застегивай две.

— Зачем, Гоша?

— Нараспашку — наша свобода. Вызов месту и времени.

— Свобода не в этом, Гоша.

— В этом. Пока нет иной.

Они неплохо учились, Финкель со своим другом, и их принимали в пионеры одними из первых. В коридоре школы. Возле беленой стены, затертой спинами. В присутствии пионервожатой без пола и возраста от тусклых обязанностей в пыльных помещениях.

В стенной газете написали по такому случаю. Должно быть, пионервожатая. Должно быть, стихами:

Страна моя, мечта моя,
Родной цветущий край!
В лесах твоих,
В полях твоих
Огни коммунизма горят.

Прошли месяцы с того события, и прочих школьников, еще не принятых в пионеры, усадили в автобус, отвезли к памятнику погибшим солдатам, где они дали клятву в окружении ветеранов, смахивавших скупую слезу. Еще миновало время, наскребли остатки, балбесов с второгодниками, повезли на Красную площадь, ибо подступали праздники и полагалось выделить учеников от каждой школы, принять в пионеры возле Кремлевской стены. Под барабанный бой, пение медных труб, бой часов на Спасской башне; с цветами, подарками, портретом в газете обалдуя Сереги, который надувал презервативы на уроках и пускал их по классу: «Я, юный пионер Советского Союза, перед лицом своих товарищей торжественно обещаю...»

Штопаные годы. Скукоженные мысли. Перелицованные наизнанку понятия. Сытости вокруг не было: не от горбушки хлеба или тарелки супа — насыщений пытливого духа, просветляющих горизонты.

— Не относись с небрежением к прошлому, друг Финкель. Досталось то, что досталось, у других и того нет.

Раздвинулись границы дозволенного, послабление мертвой хватки на горле, неспешный рост неприметного благосостояния, когда возрастал мусор на улицах взамен скудного безоберточного существования, мусор громоздился в головах после занудного директивного мышления. Поэты в спешке столбили темы, золотоносные участки, прозаики, естественно, отставали, настраиваясь на долгую дистанцию, которая оказалась короткой, и кто-то уже бился боками о новые предохранительные решетки.

Незабвенный друг вспомнил про Серегу на Красной площади, вставил пионеров в сценарий, но редакторы отшатнулись от эпизода, как от гремучей змеи:

— Старик, ты же не дурак, старик. Кому он нужен, твой Серега?

Сказал раздумчиво, в тихой горести, глаз с прищуром от сигаретного дымка:

— Подступает иное полоумие. Если не знаешь, кто возле тебя идиот, значит, идиот — это ты...

Пятнами покрылся от аллергии.

Стать бы ему гончаром с натруженными ладонями, умело оглаживая податливую глину. Кузнецом в фартуке, прожженном до дыр, под грохот молота по железу: лицо опалено калеными искрами. Столярничать бы ему: руки на рубанке, ворох кучерявых стружек, душный запах лака-скипидара. Ювелирных дел мастером — тончить серебро в невесомый лист, постукивать молоточком по чекану, выписывая узоры на ковше, складне, табакерке, на окладах книг и икон: глаз зорок, удар выверен, клеймо мастера на века. Ваятелем стать бы ему: вздутые жилы на руках, вздутые сосуды на висках, одолевшие каменную неподступность, — по ремеслу и мука.

Морщина на лбу поперечным надрезом.

Полоска на носу от дужки очков.

Натруженные глаза в кровавых прожилках.

— Мы не писатели. Мы — Божьи дурачки. Разобраться бы в том, к чему приставлен, — большего не надо.

За работу усаживался плотно, усидчиво, отключив телефон, в завале книг и бумаг, где проглядывал одному ему известный порядок. Карандаши затачивал до малых огрызков, ими и пользовался, откидывая затупленные. Жизнь провел со словом, отбирая из словаря-отстойника, гнулся от непомерного труда, оглаживая ладонями, обжигаясь и обжигая, чеканом подчищая заусенец до легкого дыхания строки, пластинчатой ее упругости. Рассказы писал строго, истово, продираясь через врата букв, уважал выдуманных героев, жалуя и наказывая по заслугам, чаще жалуя, точнее, жалея. К вечеру с воплем выскакивал из кабинета: «Машка, пошли по бабам!..» Это означало: день был добычлив, не в пример прочим.

Что доступно ощущению творца, живущего ремеслом рук своих? Беспокойство глины на гончарном кругу, которая еще не знает, что из нее вылепят. Опасения капли стекла на трубке стеклодува. Глыбы мрамора под резцом создателя. Волнение слова за свою судьбу, за соседей на строке, с которыми век вековать. (Кувшин хранит прикосновения гончара, бокал — дыхание стеклодува, строка — сомнения сочинителя. Мудрец из Межирича мог описать человека, углядев изделие его рук, — тяжко, наверно, ему жилось в мире вещей, неряшливо сотворенных.)

«Гоша, — соблазняли приятели, — славный ты наш! Поехали на байдарках, Обь-Енисей, куда течение вынесет. Там глухие края, Гоша, мужиков недостача; бабы на берег выходят, зазывают сиренами — тебе в самый раз». — «Знаю я этих баб: причалишь — разорвут, натешившись. Лучше меня тут умертвите». И снова прикипал к столу, к работе-изнурению, восторгаясь и проклиная до надорванной жилки в груди, прохудившегося сосудика. Свобода ожидала его за столом с каждым словом, репликой, поворотом сюжета, неволя поджидала галерная.

— Есть у меня герой для рассказа, да нет на него сил. Грузнею. Мозгами костенею, Финкель. Хочешь, подарю?

— Раздаришь всё, с чем останешься?

— С Машкой. Ее не отдам. Запоминай, Финкель. Записывай.

Диктовал:

— Была женщина, женщина как женщина. Денег в доме недоставало, и она сдавала кровь, раз в пару месяцев, получала малые копейки. Шла домой, покупала по дороге бутылку, муж с сыном уже сидели за столом, закусывали в ожидании. «Вурдалаки, — говорила без обиды, с гордостью за свою добычливость. — Кровь мою пьете...»

Не придет без приглашения, не прокричит на входе — шапка на затылке:

— Как живете-можете, что жуете-гложете?

Не ухмыльнется, сам себе потешник:

— Вот человек, которому установили диагноз: шизофреническое утехословие. — И в скороговорение: — У Ваньки встанька, для встаньки Танька. Танька без Ваньки, что Ванька без встаньки...

На последнем застолье, шумном, дымном, в хмельной тоске, раздарил свои галстуки, каждому приятелю по одному, чтобы вспоминали, повязывая, и ушел в иные измерения, книги оставив недописанными, симпатии непроявленными, женщин недолюбленными, продуманные ответы без заданных на них вопросов. Взглядывает на Финкеля с обложки, сообщает доверительно: «Мыслил себя в настоящем. Во все дни. Даже рассказы сочинял в настоящем времени. Неужто и я уже в прошлом? Разберись, Финкель, пока живой...»

— Сочиняю поэму, — сообщил напоследок обожженным горлом. — Элегическую. Первая строка готова: «Не посвящайте мне стихотворений...» Со второй строкой сложности.

Недодышал, недописал, ушел за пределы понимания, затерявшись в узниках ушедшего века.

— Ну вот, — запечалилась Маша. — Теперь и ревновать не к кому.

— Ничего, — успокоили друзья. — Он и там найдет.

Пропели у раскрытой могилы:

— В далекий край товарищ улетает...

Прокричали, припомнив его завет:

— Спасибо, Гоша!

И жизнь подернулась патиной.

5

— Что дальше?

— В магазин. За провизией.

Под деревом сидит реб Шулим, задумчивый молчальник, и Финкель не жалеет усилий для полноты образа...

«...этот человек выговаривается самому себе, потому и научился молчать. Раз в месяц, не реже, реб Шулим отправляется на кладбище, отыскивает невидный камень, неотличимый от прочих, вымаливает прощение у той, которую огорчил. Молчком. Тоже молчком, ввергнутый в тайны страданий. Есть, видно, грех за душой у реб Шулима, закрытого на сто замков, тяжесть вины не отмолить». — «Почему же не отмолить?» — интересуется ликующий старик. «Не откликнулся, должно быть, на ее призыв. Не распахнул душу навстречу». — «Так оно было?» — «Так оно стало». — «Это ты выдумал?» — «Это он таков...»

В магазине пусто, светло, прохладно.

Бродит посреди угрожающего изобилия Меерович-Лейзерович, потерянный, грустно-застенчивый, печально-дружелюбный, являет миру иудейский нос и иудейскую печаль. Столько печали в его глазах, что она уже может выпасть в осадок, — нужен только толчок. Человеку с такими глазами надо немедленно давать персональную пенсию. Независимо от возраста, стажа и занимаемой должности.

Бродит по просторному магазину, локти прижимая к телу, чтобы не занимать лишнего места в пространстве, руки не разводит на стороны даже в минуты редкого воодушевления, лишь пальцы вытанцовывают в беспокойстве.

MOGON TAG

«Меерович, раскиньте уже руки, — выговаривала жена его Циля в крайнем недовольстве. — И не спотыкайтесь о всякую тень. Это вам не прежние времена». Но он не доверял временам. Ни тем, ни этим. Даже голову не вскидывал — взглянуть на мир свысока: свысока у него не получалось. «Вы мне противны, Меерович. Я от вас опухаю».

Его не выпускали за кордон, Мееровича-Лейзеровича, что противоречило «государственным интересам», о которых он имел смутное представление. Прилетали заокеанские сенаторы, спрашивали: «Давать ли Советам поблажку в торговле?», он отвечал сурово: «Не давать!», и газеты всего мира сообщали на первой полосе: «Меерович-Лейзерович считает, что Советы не заслуживают никакой поблажки». Приехал в Святой город, навалились хлопоты вживания, не появляются больше сенаторы, ни о чем не спрашивают, а это, согласитесь, трудно вынести.

Вот человек, которого забодали обстоятельства.

— Финкель, — мается в тоске Меерович-Лейзерович. — Помнишь те дни, когда мы стояли на баррикадах?

— Нет, — отвечает Финкель, — не помню. По отдаленности времен. И баррикад не было.

— Врешь ты всё.

— Вру, — соглашается. — Но частично.

— Скучный ты человек, Финкель, а еще писатель. Я бы с тобой не пошел на штурм твердыни.

Смотрит подозрительно, не смеется ли? Нет, Финкель не смеется. Продолжает Меерович-Лейзерович, переводя разговор на бытовые темы:

— Ходил прежде в магазин, как к себе домой. За прилавком стояла Полина, родимая душа. «Привет, Полина! Что хорошего?..» Распечатывала для меня сыры, горбушку удаляла непременно, — кому нужна горбушка от сыра? Салаты не накладывала с прилавка, доставала из холодильника; колбаску давала пожевать: наешься, пока выберешь...

Финкелю это знакомо, можно не объяснять, но Меерович-Лейзерович неумолим:

— Где Полина, которую я обожал? Нет Полины с ее завлекающими формами, вечной улыбкой, обворожительными голубыми очами... Слушай сюда, Финкель! Сейчас подойду к прилавку, где она стояла, попрошу крашеную выдру: «Улыбнитесь покупателю», а она буркнет, глаз не поднимая: «Нарезать или кусочком?»

Так оно и происходит. Крашеная выдра бурчит угрюмо:

— Нарезать или кусочком?

— Нарезать. Сто граммов. — И получает пакетик с колбасой, очень похожей на ту, «докторскую», из прежних их магазинов.

Возвращается к Финкелю, топчется на месте, локти прижимает к телу. Этого человека касается всё или почти всё на свете, только проявляется оно по-разному: когда сразу, а когда с задержкой. Он бы и не хотел, чтобы его затрагивало, всякому уступил забесплатно, но с этим ничего не поделать. Меерович всегда под рукой, для скорой надобности: «Мы мирные люди, но наш Лейзерович стоит на запасном пути...»

— Что происходит, Финкель? В какой век влипли? Раньше доводилось говорить: год назад, два года... А теперь: двадцать, тридцать, пятьдесят лет назад, как сейчас помню. Даты с нулем — я бы их отменил.

Финкель слушает внимательно, Ая слушает — это его поощряет.

— Сюда едучи. Здесь будучи... Примерял к себе иное пребывание, пока не сообразил: ты, Меерович, не прожил того, что мог прожить. Сначала не давали, потом сам не брал.

Голос возвышает до крика:

— Да я на мотоцикл ни разу не садился, костры не разжигал, в палатке не ночевал, сам себя одомашнил! Одно светлое пятно, когда стояли на баррикадах...

«Которых не было», — упорствует Финкель, но о том не говорит, не желая огорчать одинокого мужчину.

— Стояли, Финкель, ты тоже стоял, не отпирайся.

В младенческую пору Меерович хранил тайну, которую не доверял никому. Известно каждому, что у мужского населения имеется некий довесок, через который выливаются излишки, — а что же у товарища Сталина, неужто и у него довесок с излишками?.. И Меерович догадался, один он на всю страну: у товарища Сталина в штанах звездочка. После нескорого возмужания, в постели, высвободившись из-под тяжести жены своей Цили, поделился тайной несмышленого ребенка, рассчитывая на улыбку умиления, но Циля вопросила с интересом: «Пятиконечная?..» — и задумалась.

Жена его Циля с детства предпочитала прилагательные, пренебрегая прочими частями речи. «Это голубенькое, с рюшечками — его в стирку... Это синенькое, пузатенькое — запечь в духовке и растолочь... Это дрожжевое, слоеное, заварное — не магазинный тортик-шмортик...» Верная его Циля, тяжелая, медлительная, обширная в бедрах и устойчивая на ногу, ворковала некогда в любовной истоме, придавливая мужа к матрацу: «Меерович, я от вас опухаю. Заказывайте, Меерович: со звездочкой или без?» Она опухала раз за разом к гордости его и усладе, в нескончаемых излияниях материнского молока, но затем это выражение обрело иной смысл.

В один из дней Меерович решительно вышел из спальни. В семейных трусах до колен. «Циля, — сказал. — Мы уезжаем, Циля. На историческую родину». Циля стояла на кухне и разделывала зеркального карпа; ответила жена его Циля: «Утряситесь, Меерович. Моя родина — это моя квартира. Лаковое, двустворчатое в спальне, синее, эмалированное на кухне, белое, фаянсовое в туалете. Я опухаю, Меерович. От ваших прожектов. Выйдите на проезжую часть, принесите шмат грязи, бросьте мне в лицо и успокойтесь». — «Мы уезжаем, Циля, — повторил. — В Эрец Исроэл». — «Покиньте кухню, Меерович. Мы никуда не едем». Но он увлек ее через пограничные кордоны вместе с детьми и двустворчатой румынской мебелью.

Вдыхает воздух в волнении. Шумно выдыхает. Прижимает к груди пакетик с колбасой:

— Родиться бы раньше на полвека, приехать молодым, мотыжить землю на жаре, поливать саженцы, танцевать по ночам хору. Чтобы всё было ясно, просто и понятно: свой — свой, чужой — чужой... Я бы не отказался.

— Всякий бы не отказался.

— Не всякий, Финкель, не всякий... Брата моего помнишь?

— Помню брата. На тех же баррикадах.

— В Германию уехал. На их пособие, которое сытнее здешнего. Пишет оттуда: «Это не та

Германия. Немцы — они другие». Отвечаю ему: «Они другие, да я тот же. С той же незалеченной болью».

— Правильно отвечаешь, — одобряет Финкель и добавляет торжественно: — Слушай сюда, Меерович! Я люблю тебя, Лейзерович, и пойду куда скажешь, даже на штурм твердыни.

Обнимает его, и Меерович-Лейзерович, ободренный народным признанием, возвращается в одинокое жилье, обдумывая по пути неотложный вопрос: не создать ли ему партию пришельцев, не пройти ли в кнессет большинством голосов, не занять ли, если повезет, кресло министра национального благоденствия? Ездить повсюду разрешителем затруднений, улучшать то, что требует исправления, и все станут восклицать: «Меерович? Кто же не знает Лейзеровича!..»

Ответственность — это потеря свободы, но он готов ко всему, да-да, он готов...

...в подъезде наскочит на него соседка в байковом халате, патлатая, растерзанная; это о ней говорила жена его Циля: «Меерович, она привезла оттуда капроновое, отложное, приталенное. С надписью на спине "Миру мир!". Маршировала на парадах в голубом, зеленом, фиолетовом, примеряет теперь перед зеркалом и поет: "Трудовые будни праздники для нас...", — она хочет на парад, Меерович, пусть сделают для нее парад». Соседка в байковом халате заверещит на весь дом, брызгая на Лейзеровича слюной: «Вы, всё вы! Из-за вас, полоумных, стали выпускать! А у меня работа была, жилье, похвальные грамоты, пенсия на подходе...» Ответит: «Женщина, я вас не звал. Оставались бы дома». — «Да? Останься попробуй! Пальцем тыкали: засиделась, тетка, вали отсюда!» — «Так возвращайтесь. Поезжайте назад. Теперь можно». — «А комнату!.. — взвизгнет ненавистно. — Комнату ты мне дашь? Где я жить буду?..» Уйдет к себе, грохнув дверью, пожарит треску, начадив на весь подъезд, запоет к вечеру: «Как бы мне, рябине...» — не иначе, приталенное примеряет перед зеркалом, зеленое, голубое, фиолетовое: «Миру мир!»...

Лейзерович вернется домой в растрепанных чувствах, померяет кровяное давление, подскочившее от душевной боли, выпьет стакан цветочного чая без сахара, съест бутерброд с колбасой и будет страдать на постели вдовца, произнося речи, находя убедительные объяснения давним решениям и поступкам, когда он и его друзья стояли на баррикадах. Какой же он умный в ночи, Меерович-Лейзерович, наделенный талантом размышления, какой убедительный — Циля бы его одобрила, ах, Циля, Циля... Будто не она выговаривала в постели, не подпуская к себе: «Отшатнитесь, Меерович, с вашими глупостями. Вы идеалист, от которого опухают. Тортик-шмортик».

За стеной запрятана сливная труба. Сосед сверху мается простатой, а потому ходит по ночам в туалет, спускает затем воду. Чмок! — и отсечка, и извержение по трубе, краткое, стремительное, от которого Меерович пробуждается и снова задремывает до очередного чмока. Порой отсечки не бывает, и тогда жалостливо, немощно: шлё-ё-ёпп... — подтекает из бачка, журчит за стеной, не давая заснуть. Шея затекает на тугой подушке, затекают поджатые ноги, а министр национального благоденствия решает в который раз: не пойти ли завтра к соседу, напроситься в помощники, починить этот проклятый унитаз?

Сын позвонит под утро: «Что делаешь?» — «Живу». — «А вечером?» Это означает: ему с женой надо отлучиться из дома, внуков оставить не с кем. Меерович ответит со вздохом удовольствия: «Вечером живу у вас».

6

Они покупают продукты, неспешно возвращаются домой.

За внушительным забором разместился детский сад. Бегают по траве мальчики-девочки, верещат от избытка витаминов, а через просвет в штакетнике выглядывает наружу грустный ребенок, цепко ухватившись за планки ломкими пальцами.

— Де-душ-ка... Ему плохо?

Финкель приседает на корточки, лицом к лицу:

— Почему не играешь?

Молчит.

— Как звать?

Не отвечает.

Грудка впалая, ножки тонкие, глаза окольцованы темными ободками, в глазах безропотное терпение.

Рассказывает ему:

— Сегодня. Перед завтраком. Беру яйцо, постукиваю по нему ложкой. «Кто там?» — спрашивают изнутри тоненьким голоском. Еще постукиваю. «Войдите», — говорят. «Выйдите», — прошу. Раскалывается скорлупа, вылезает наружу цыпленок. Желтый. Пушистый. Шарик с ножками. Может, и тебе попробовать?

Мальчик выслушивает без интереса, говорит без выражения:

— У них яйца вкрутую. Других не дают.

Стоит за забором нянечка, руки скрестив под грудью, сообщает по-русски:

— Он у нас печалистый. Не ест, не спит, мать высматривает: придет, домой заберет. Каждый день так.

— Привыкнет, — полагает Финкель.

— Такие не привыкают. Мне ли не знать? Хоть бы поплакал, отмяк душою.

— Де-душ-ка... Возьмем его?

— Кто ж тебе даст? — фыркает нянечка.

— А мы попросим.

Подружки кричат через забор:

— Ая! Ая! Нам хомяка подарили...

— Ая! Ая! Этот дедушка — он твоя бабушка?.. Что им ответит? Ждут дети. Ждет Финкель.

— Не бабушка, — отвечает. — Но похож на нее.

Финкеля прошибает слеза, что редко случается.

— Спасибо, Ая...

Строгая воспитательница интересуется:

— Почему девочка не приходит?

Дедушка смотрит на внучку, внучка на дедушку. «Хочется сказать неправду, хоть разочек». — «Разочек — можно». Ая отвечает:

— Голова болит. И живот. Вот тут.

Идут дальше.

На лестничной площадке их ожидает Ото-то, нетерпеливый, взъерошенный. В руке коробка конфет.

— Дай мои деньги.

— Вчера давал.

— Дай еще. Дай все.

— Зачем тебе?

— Пойду к Хане. Положу на стол: «Хочешь, одолжу?» Вернусь — отдам, что останется.

— Одолжишь — на еду не хватит.

— Не хватит — у вас пообедаю.

Последняя попытка:

— Хана на работе.

— Она дома. Я проверял.

Черепашья шея тянется из застиранного ворота, руки вылезают из лохматых манжет. Вот человек с озабоченным разумом, как ему отказать? Финкель оглядывает придирчиво:

— В таком виде деньги не одалживают. В таком виде их просят.

Ото-то отсиживается в ванной, а он гладит его рубашку, гладит брюки через мокрую тряпку, пропаривая задубелую ткань, накрепко пришивает пуговицы. Ая начищает ботинки гуталином, смачивает непослушную шевелюру растрепы, причесывая на пробор, а затем выстригают волосы из его ушей, спрыскивают в меру душистой водой, закрепляют подтяжки, чтобы брюки не обвисали на заду. Шарфик мамы Киры на шею, шляпу папы Додика на голову — и достаточно.

— Будешь теперь Тип-топ.

Разглядывает себя в зеркале, вновь лохматит шевелюру:

— Вот я сделаю что-то такое. Очень уж невозможное... Хана посмотрит и согласится.

Ото-то надеется, что их сосватают, но никто не берется за столь проигрышное занятие. У него вечные нелады с одеждой: узкое ему просторно, длинное коротко, и соседка Хана, умелая мастерица, подгоняет по нескладной фигуре. Стоит на примерке, ощущая прикосновения женских рук, а затем бродит по квартире в шаткости мыслей, несбыточные надежды навещают его во снах.

— Вперед! — командует Финкель, и они дружно шагают к лифту; филиппинка следит в щелочку из-за двери, не смаргивая глазом, крохотная женщина с развитыми формами: что у нее на уме?

— Ах! — восклицает Хана на пороге. — Прямо жених!..

Шляпа набекрень. Розовый шарфик на шее. Платочек в нагрудном кармане. Пряжка на поясе, оттертая до блеска. Отутюженная складка на брюках. Коробка конфет. Щеки Ото-то пламенеют, глаза утыкаются в пол.

— Мимо шли... И зашли... Если можно.

— Можно. Конечно, можно.

Хана живет в простоте и заботах, не помышляя о завтрашнем дне, что помогает выживать и даже получать малые удовольствия. Хана разошлась с мужем без обид-потрясений и пребывает в бездумном покое, пухленькая и смешливая. «Таль с Амиром — как мне достались? Они тяжело достались. Ночами вскакивала — то к одному, то к другому. В окно ткнешься: темно, все спят, а мне не полагается. Того подтереть, этого пере- пеленать. Тому попить, этому наоборот. Да еще перепутаешь: не этого подотрешь, не того пере- пеленаешь».

Пьют чай.

Позвякивают ложками.

Ото-то подхватывает конфеты, а на дива- не сутулятся рядком два чистеньких старичка, с опасением оглядывают верзилу, который смоло- тил уже полкоробки.

— Родственники из кибуца, — знакомит Хана. — Дядя и тетя. Приехали погостить.

— На месяц, — подтверждает дядя.

— Хане помочь, — добавляет тетя.

И уходят, не желая мешать разговору.

— Я им комнату отдала, — говорит Хана. — Я им кровать отдала. Сама сплю в коридоре: голо- ва на кухне, ноги в туалете. «Хана, мы у тебя по- гостим». Гостите, ради Бога! Хоть на месяц, хоть навсегда. Как ведь одной? Одной никак... А Таль подходит к дяде, за палец дергает: «Ты кто?» — «Человек». — «Какое у человека имя?» Они и растаяли, они и поплыли: Таль-хитрец умеет очаровывать.

Показывает гостям фотографию младенцев:

— Заболела гриппом, валяюсь поперек кро- вати, носом в подушку, дети по мне ползают, в войну играют. «Мама, беги на врага». — «У меня голова закружится. Побегу и упаду». — «Мама, покажи». Соседка забежала — сварила макароны. Другая забежала — их накормила. Опять лежу. Опять они по мне ползают. Теперь я горка, они с меня скатываются. Чувствую — умираю. А Таль вдруг затих и говорит: «Еще в штаны сделаю, мама любить не будет». Это значит, один раз он уже сделал, теперь делает во второй. Встать не могу, шелохнуться не могу. Умру — живите, как знаете.

— Не надо, — просит Ото-то. — Не умирайте.

Улыбается ему, пододвигает конфеты:

— Родственники теперь помогут. Дядя и тетя. Дети ухоженны, в доме порядок, все вещи на местах лежат: когда надо, ничего не найдешь... А как они готовят! И сколько! Не успеваю продукты подтаскивать...

Появляются близнецы, шаг в шаг, суровые и решительные. Взмахивают деревянной саблей, наставляют на Ото-то ружье, говорят сурово:

— Зачем он здесь?

— Наш гость, — отвечает Хана.

— Мы его порубим, так и знай.

— Или застрелим.

— Это еще почему?

— Он наши конфеты съел. Ни одной не оставил.

Конфет больше нет. Чай выпит. Хана провожает гостей до лифта, близнецы шагают следом за Ото-то, оружием тычут в спину, чтобы не возвращался.

— Он еще принесет, — обещает Финкель. — Большую коробку.

— Я... Еще... Две коробки...

Выходят следом дядя и тетя:

— Хана, мы завтра обратно поедем.

— Ну почему же?

Близнецы пыхтят:

— Их тоже порубим.

— А потом застрелим.

— Их-то за что?

— Есть заставляют...

Ото-то убегает на свой этаж, не дождавшись лифта, охлаждает под душем буйные чувства, а Зу-зу обеспокоенно кружит рядом, ей тоже не до покоя.

— Завтра опять пойду, — сообщает доверительно — Послезавтра. Шляпу надену. Портфель у Финкеля заберу... Хана без меня скучает.

7

К вечеру они собираются на лестничной площадке.

Тем же составом.

Прибегает снизу вострушка Хана, устраивается, поджав ноги.

— Детей уложила?

— Спят.

Бублик выводит Ломтика; тот брызгает малой струйкой в углу, в ужасе прикрывает глаза, — кто сказал, что у животных меньше страхов, чем у людей? Бегут подтирать, и Ривка разъясняет:

— Это у него нервное. Но оно пройдет. Когда поймет, что не выгонят.

Ая восклицает:

— А в нашем телевизоре! Завелся сверчок! Кричит по вечерам: «Цир-цур... Цир-цур...»

— Сверчок? В телевизоре? Не может быть.

Финкель разъясняет:

— Очень даже может, если туда запустить. У кого запечный, у нас заэкранный. Сидит в телевизоре, в неведомых его глубинах, свиристит без умолку, дикторов заглушает, любовные сериалы, чем питается, не известно. Позвали техника — устранить неполадки; узнал, зачем вызывали, обиделся и ушел, даже не взглянув, но деньги за посещение потребовал. Пришел знаток, особо рекомендованный, в черной шляпе, пейсы до плеч, спросил строго: «По субботам включаете?» — «Включаем». — «Чинить не буду». Тоже ушел.

— Ну, Финкель! Ну, хулиган!.. — улыбается Ривка. — У кого только научился?

— Могу еще отловить. Запустим в ваш телевизор.

Скребется в дверь реб Шулим, упорный молчальник, послушать их разговоры — вы на такое способны, говорливые? Сидит на стуле, выглядывая из своих глубин, заходится в немом крике, и вот откровение его, готовое вырваться наружу, обвиснуть полновесно спелым апельсином, не закатиться в траву на скорое гниение: «Как же мы бездарны на хорошее, как талантливы на плохое! Нельзя ли наоборот? Наоборот — нельзя ли?..»

Ривка начинает, задавая тему:

— Прожито много, но хочется еще чуточку.

Финкель не согласен:

— Много? Разве это много?.. Вопрос не в том — уходить или не уходить. Важно иное: согласен или не согласен.

Тема важна и беспокоит каждого.

— Не надо уходить, вот и всё, — вступает Ото-то. — Я ведь не умер после рождения.

Все переглядываются понимающе, а Финкель продолжает:

— Не желаю жить вечно. Желаю столько, сколько захочу, ни дня больше. Главное, уйти достойно, познать себя в последнем испытании — даже занятно. Вознестись, вытереть ноги о половик: вот он я, что можете предложить?

— Половик, — веселится Ото-то, — ха-ха, половик... Где ты видел души с ногами?

— Где ты видел души без ног?..

Вопросы вспучиваются пузырями, как от дождя на лужах, и лопаются, не получив разрешения. Истина увядает от небрежного ухода, погибает от бомбы или пули, и все затихают, припоминая ракеты с юга, угрозы с севера, самоубийцу с зарядом на поясе, который выходит на промысел, неосознанные опасности в краю неустройств, где на виду у всех горюют дикторы телевидения, оповещая о потерях. «Не открыть ли курсы смеха для улучшения человеческой породы?» — подумывает ликующий старик, прозревая будущие поколения, которым не позавидуешь. Не соглашается его сожитель: «Откроем ускоренные курсы плача».

Мир приходит в неистовство, подверженный порче, несметные полчища обкладывают город, дом, душу; свиток тягот еще не заполнен, и для самых забывчивых — скамья на подходе к концертному залу, табличка на ней: «Памяти родителей...», где затаилось пугающее слово «Освенцим». А вечер выдастся прохладный, ветерок ласковый-ласковый, детской ладошкой по щеке, неприятности отдалятся за горизонт, будто их не было, слушатели пошагают неспешно с концерта, после Моцарта-Дебюсси-Равеля... — Освенцим подстерегает на той скамье, которую не миновать.

Сказал бы Финкель: «Век начался и себя уже не оправдал. Надежда на век следующий, до которого не дожить...» Сказала бы Ривка-страдалица: «Поторапливаем будущее, убегая от настоящего. А там заготовлено про запас...» Добавила бы бабушка Хая, которой давно нет на свете: «Можно бы жить, и неплохо, да кто ж кому даст? Умудри их, Господи...» — «Ладно вам, — забеспокоился бы папа Додик: неведение — его ограда. — Может, обойдется...» — «Что ладно тебе? Что ладно? — возмутилась бы мама Кира: не снести ее ропота. — Неладно вокруг. Всё неладно...»

Мама Кира решительна и непримирима, ей требуется ясность — не изощренные толкования: семь раз отрежь, один раз отмерь. Папа Додик — ублаженный миролюбец в поисках необременительного бытия: семь раз отмерь, а отрежется само собой. «Вот бы... — мечтает папа-гуманист. — Вот бы эти правые изгнали отсюда этих арабов, и некому будет взрываться. А мы бы заклеймили правых за их бесчеловечность».

Из мест прежнего их обитания прилетела столичная штучка мужского пола, словно на захудалую окраину метрополии, произнесла с экрана, ногу закинув на ногу под обвислым животом: «Это была ошибка — провозглашение вашего государства. Его не должно быть». — «Я его изувечу, — пообещала мама Кира внятно, замедленно, суживая по-кошачьи зеленеющие глаза, наливаясь холодной яростью, от которой папа Додик забивается под одеяло. — Убью, расчленю на части, скормлю шакалам».

Подступит время для ночных размышлений, огорчится безмерно ликующий старик, жалостлив и отходчив: «Без доброты мы озвереем, да-да-да!» Взовьется старик опечаленный, буен и непокорен: «А с добренькими погибнем, вот-вот-вот!» По телевизору покажут чукчу, который повинится перед моржом, прежде чем его убить, — таков порядок у чукчей: «Прости нас за злодейство, но подступает зима, суровые холода, пропадем без твоего мяса. Мы и наши собаки».

А люди изничтожают себе подобных, прощения не просят.

8

Снова Финкель. На лестничной площадке:

— Бабушка моя рассказывала: покойникам вкладывали в руки по палочке. Прокопать путь до Иерусалима и там воскреснуть после прихода Мессии. А нам и того не надо. Мы уже тут.

— Хочу тоже палочку, — вздыхает Ривка. — Прокопать в Галилею. К Амнону.

Филиппинка вступает в разговор, чирикая о своем. У Ото-то неосознанный к ней интерес, и она это ощущает, пухлогубая, большеглазая, с приплюснутым носом и смоляной прической, не лишенная восточного обаяния; она всё ощущает, не подавая вида в замедленных устремлениях. А рассказывает она о том, как в голодную, бедовую пору жители ее деревни решили выкопать обитателей кладбища, унести с собой в сытные края, но те не дались в руки, ушли глубоко в землю, и живые остались с мертвыми на прежнем месте.

— Теперь? — спрашивают. — Что там теперь?

— Нет больше деревни. Город всё затоптал. Дома по двадцать этажей вместо кладбища, тяжесть непомерная на усопших.

Встают в дверях близнецы-сорванцы, босиком и в пижамах:

— Мам... Нам спать скучно.

— Марш в постель!

— А сказку... Где сказка?

— Я, — просит Финкель. — Можно я?

— Ты умеешь?

— Они еще сомневаются! Лучше меня никто не расскажет.

Взбираются к нему на колени, и Финкель начинает:

— Жил на свете старичок — каждому по нраву, который пускал пузыри. Когда умывался, стоял под душем, полоскал рот или просто так, ради потехи: буль-буль-буль. Потому и называли его дед Пузырь...

Прерывают:

— Пузырь — это что?

Ая приходит на помощь, переводя на понятный язык:

— Пузырь — это буа.

Финкель продолжает:

— Жил на свете дед Буа, который... Нет, так я не согласен! Про Пузыря могу рассказать, про Буа не получится. Француз какой-то...

Близнецы сползают с его колен, говорят сурово:

— Не умеешь.

И Хана их уводит.

Распахивается дверь в квартиру, где совершается нечто таинственное, недоступное посторонним. Выходит Дрор, их сосед, выпрыгивает женщина — глаза отпахнуты, целует его при всех.

— Упоительно! — восклицает. — Возбудительно-опьянительно!..

Козочкой проскочит вниз по лестнице, не воспользовавшись лифтом, выпорхнет из подъезда с обновленными желаниями — и в такси. «Запредельно! — вскидываясь на сиденье. — Непостижимо-неудержимо!..» — «Куда едем?» — спросит шофер, кучерявый блондин славянской породы, глаз положив на пассажирку. «С тобой — хоть куда!» — «Эх! — взовьется кучерявый незнакомым ей словом. — Засвербело, блин!» Рванет с места…

Пышноусый обольститель Дрор садится на стул, вытягивает ноги:

— Умучили — нет сил.

Большой, неспешный, с бархатным голосом, вкрадчивый в ненавязчивой любезности: хоть на рану его накладывай, на кровоточащую душевную рану для скорого излечения. Женщины бегают к нему на прием — запись за пару месяцев, Дрор уединяется с каждой, обволакивает любовными речами, про которые они забыли или никогда не слышали, берет руки в свои ладони, теплые, надежные, способные обласкать, прививает веру в их неотразимость, обновляя тусклые чувства, пробуждая мечтания, не доводя обольщения до крайностей, — главное, чтобы ничего не пришлось расстегивать.

— Перед вами несчастная женщина, — заявляет очередная бедняжка, — и когда этого не ощущаю, чувствую себя еще более несчастной.

— Сделаем счастливой, — обещает целитель, и они уединяются в его покоях.

Обычно требуются три–пять сеансов, в иных случаях, более запущенных, до десяти.

Водит по ресторанам. Дарит цветы. Устраивает прогулки под луной с нашёптыванием в розовеющее ушко. Возит даже в Грецию, на малые острова, в соблазны уединения: за всё они платят.

— Чем дольше живёшь на свете, тем больше вокруг тебя оказывается дураков. По молодости не замечал прежде. По собственной дурости.

На этом он зарабатывает, и зарабатывает неплохо.

Дрор знаменит. К нему не пробиться. Его визитную карточку передают из рук в руки: «Оживляем сердца сокрушённых»; домогаются его отчаявшиеся бедняжки в засухе чувств, Дрор-обольститель излечивает притихших, привядших, неуверенных в своих чарах, которые поедом поедают себя и своих близких. «Бушуйте, — наставляет. — Беснуйтесь. Устраивайте скандалы, сцены обиды и ревности, хлопайте дверью, швыряйте на пол хрустальные вазы, фарфоровые статуэтки, графины с бокалами, не жалейте дорогие сервизы — потом окупится. И не раскаивайтесь, ни в коем случае не раскаивайтесь; пусть помучаются эти, которые вас недооценили, пусть они помучаются!»

После нескольких сеансов меняется облик, походка, набухают грудные железы, распушаются волосы, призывно посверкивают глаза, появляется желание заново кинуться в приключения, с вышки в бассейн. На последней встрече каждая получает наклейку на заднее стекло машины: «Свожу с ума. Кто на очереди?» — приманкой для мужчин, падких на приключения.

Всплески эмоций недолговечны, и по праздникам Дрор рассылает бедняжкам открытки с напоминанием о себе:

— За пару шекелей можно столько клиентов сохранить...

Прибежал муж пациентки, кричал, топал ногами — Дрор сказал примирительно: «Для тебя же старался». — «Для меня? — возопил. — Обеды перестала готовить, в магазин посылает после твоих глупостей, всякой ночью желает невозможного. Верни прежнюю жену!..» Прикинул, ухмыльнулся: «Два сеанса».

Интересуются приятели-завистники:

— Как же ты догадался?

Рассказывает:

— Прочитал в газете о явлении, необъяснимом наукой. В зоопарк назначили нового директора, и звери начали при нем выводить на свет потомство за потомством, в невообразимом количестве, даже те из них, которые в неволе не размножаются. Тогда и решил: тоже могу, в своем зверинце. Оживлять сердца сокрушенных.

Дрор начинал коммерцию в превосходстве добрых намерений, но бывают порой осечки, которые оборачиваются обременительными заботами.

— Одно плохо. Не все от меня отстегиваются. Это ему мешает. Это его обессиливает.

Приглядывается к Финкелю:

— Ваш случай мне интересен. Три сеанса к пробуждению чувств, максимум пять. Для соседей скидка.

— Я подумаю, — отвечает без улыбки.

Девочка Ая, задумчивая не по возрасту, сидит на коленях у медведя.

Ая напевает тихонько, и все замолкают: «В далекий край товарищ улетает, родные ветры вслед за ним летят...»

Уходит шум улицы и далекого шоссе, исчезают за окном пальмы и апельсины на ветках, гаснет настырная реклама напротив, зажигаются иные фонари, иные прохожие шагают по тротуарам в надежде на иную удачу, проступают иные лики без облика-названия, каждому свои. Голосок бьется о стены, чистый, звонкий, ломкий на верхах: «Любимый город, синий дым Китая, знакомый дом, зеленый сад и нежный взгляд...»

Всем известна эта песня, переводить не надо. У филиппинки подозрительно блестят глаза. Реб Шулим хватается за бутылку с водой. Ривка молчаливо льет слезы: сад в Галилее, нежный взгляд не для нее. Заканчивается песня, возвращаются пальмы, зажигается реклама за стеклом — колкими соринками в глазах, исчезают нежданные облики. Под утро поступит послание под-подушечной почтой, которое проще нашептать на ухо: «Дедушка! У меня тоже есть прошлое?» — «Есть, хорошая моя, конечно, есть. Не забывай того, что принято забывать. Береги и не скрывай этого».

Все расходятся по квартирам, запирают двери на ночь до нескорого рассвета. Ото-то просит:

— Ломтик у меня переночует... Можно?

— Можно.

И он бурно радуется.

А тусклый человек с лицом злого скопца затаился, наверно, в подъезде. Характером не талантлив. Способностями не богат. Зависть к удачливым пучит его внутренности, вызывает разлив желчи, зловоние изо рта от непереваренной пищи. Стукнет кулаком в дверь: «Не доводите меня до крайности!», и рухнет покой этого места, дрогнет-опадет плод-апельсин.

— Сколько? — спросит Ривка назавтра.

— Четыре, — ответит Финкель. — Теперь их четыре.

Опечалятся оба.

Сон подкрадывался, словно тать в ночи...

...надоедливый — не отвяжешься...

...приземистый дом на припеке, которым Финкель, по-видимому, владел. Дом с палисадником, окруженный хилым штакетником, пустоты помещений с затененными пазухами, куда не проникнуть, а вокруг такие же обиталища в скудости пребывания, источенные жучком, порченные гнилью, неряшливо стареющие у безденежных владельцев. Лестницы темные, крутые, с битыми ступенями, комнатенки затхлые, стены щелястые, плешины дранки из-под обвалившейся штукатурки; мелкие, скособоченные окошки, тусклые лампочки под выцветшими абажурами, продранные диваны, колченогие столики; на подоконниках зарастали пылью немытые стеклянные банки со следами от болгарского фаршированного перца.

Шагал к своему дому упорно, настойчиво, пробиваясь через цеплючие ограждения, стучал в дверь — не достучаться, кричал — не докричаться: никто не проглядывал в окнах его видений.

И вот в последний, должно быть, раз: за дверью слышатся тяжкие шаги, проламывающие половицы, грузный мужчина в сатиновых шароварах, в майке-сеточке звучно щелкает замком.

«Кого?» — спрашивает сурово, затыкая проход тугим пузом. «Я жил в этом доме. Вспоминал его. Видел во снах. Написал о нем книгу, которую готов подарить. Может, вам интересно». — «Нам неинтересно».

Но он уже проходит коридорами своих снов, где по комнатам затаились жильцы, готовые ощериться локтями, гикнуть в единый миг, гаркнуть, свистнуть в два пальца, ошеломив нежелательного пришельца, а мужчина топает следом, вплотную, выталкивает наружу сетчатым пузом-поршнем. «Нет тут твоего, — ненавистно. — И не было». Видение уходит, более не потревожив, — это прощание с домом на припеке, куда больше не проникнуть...

Телефон пробуждает от снов-раздумий.

Женщина из Хадеры, кто же еще?

— Всё говорят: познай себя, познай себя... Начнешь познавать, станешь шизофреником.

— Мне это знакомо.

— Мне тоже. — Задиристо: — Хотите подробности?

Хмыкает стеснительно:

— Как пожелаете.

— Пожелаю. Я пожелаю.

Начинает без спешки:

— Снимаем квартиру на двоих. Общая кухня. Кастрюли, сковородки, тряпки. Запахи чужого тела, чужой еды — у меня-то?..

Невесело усмехается, так ему кажется.

— У соседки бигуди по утрам. Огуречная маска на лице. Мексиканские сериалы со стонами-проклятиями. Готовит голубцы, кабачки, перцы с мясом, меня поучает: «Были бы деньги, всё можно нафаршировать».

— Замечательно сказано! — восхищается Финкель. — Восточная мудрость. Ближневосточная.

— Страхолюдина. Ходит с подскоком. Бурчит чего-то, пришепетывает. Ей бы метлу в руки — и полетела. Из форточки в небеса.

— Здесь нет форточек.

— Нет, — соглашается. — Здесь нет... Я для нее ни на что не годная, всё покупаю дороже, а она копит на Париж, даже завидно.

— Чему тут завидовать?

— Желаниям таким, незамутненным... Порой думаю: я к ней несправедлива. Мир должен быть на радость. Хоть кому.

— Мне на радость.

Молчит. Раздумывает.

— И мне. Кой-когда... Хотите знать, что сорвало с места? Пригодится для сценария.

— Я не пишу сценарии.

— А вы попробуйте. Эпизод для Феллини.

Морщит, должно быть, лоб, прикусывает губу:

— Теплоход уходил из Сочи. Бесшумно, неприметно, светлым неземным явлением. В ночь, в открытое море, весь в огнях: корабль Renaissance, круиз по островам-океанам. Женщины в вечерних туалетах, мужчины у бара, вальс над волнами. Господи, у людей музыка, вино, танцы, а я — позабытая, затерянная — глядела с темного замусоренного причала на уплывающее чудо...

— Тогда и решили?

— Тогда и решила: поплыву и я. К другому берегу. Как это сказано у сочинителя? Пусть поживет у нас. И имя ей Ломтик...

10

Ночь будет нескончаема.

Тени на потолке не порадуют, поспешая на тараканьих ножках.

Шепчущие, умоляющие, жалостливые и неотступные.

Вновь зазвонит телефон. Или почудится.

Не иначе, мама Кира. С острова Мальта. Из города Ла-Валлетта.

Скажет непременно: «Как дела?» — «Замечательны, — ответит Финкель. — А я спит. У меня гостья». — «Так поздно?» — удивится мама Кира. «Так поздно». — «Эта? К которой поспешаешь?» — «Кого ты имеешь в виду?» — «Финкель, не лукавь». Перескажет новость папе Додику, потом спросит: «Останется у нас ночевать?» —

«Осталась». — «Надеюсь, не в моей постели?» — «Нет. В моей». — «Даже так?» — «Так. Заснет под моим одеялом, подсмотрит стариковские сны». — «А ты где?» — «Такие вопросы мужчине не задают...»

Подошел к концу день четвертый, во время которого герои размышляли о том, как раздобыть желаемое или восполнить хотя бы потерянное...

ЧАСТЬ ПЯТАЯ

РАДИ ЧЕГО СТАНЕМ ЖИТЬ?..

I

Осень неразличима в здешних краях — какая тут осень?

Страна переходит на зимнее время, а на улице теплынь, на небе ни облачка, вода в море — бульон с медузами, но холодит по ночам стены домов, тени удлиняются, замирают до весны цеплючие побеги, обреченно осыпается листва извещениями о потерях, щекочет обоняние мимолетное дуновение прелости, прозрачность на многие дали радует и печалит.

Арабская семья — муж с женой, бабушка с внуком — расстилают полотно перед оливковым деревом, трясут переплетение натужливых стволов под градом осыпающихся маслин, сбивают их шестами, ссыпают в мешок, взваливают на покорного ослика, а сами садятся в кружок на том же полотне, обмакивают лепешки в хумус, едят молча, истово, с уважением к тому, что нелегко достается.

Вот и ранний дождь, скромный поначалу, малыми каплями, не проникая в глубины земли, чтобы осмелеть, набрать силу, исхлестать струями иссохшую, истосковавшуюся по влаге почву, что жадно заглатывает ее под бурными ручьевыми потоками, впитывает взахлеб до глубоких корней, выгибаясь холмами в сладкой кошачьей истоме. Просыпаются источники подземных вод, пробиваясь через скальные породы; из ближних насаждений рвутся запахи зелени, отмытой от пыли; редкая изморозь истаивает без остатка к блеклому рассвету — пора включать бойлер, греть воду для душа.

Кучевые завалы над головой.

Тень под ногой.

Смута в душе, которую не избыть.

В доме напротив тоненько пиликает будильник: кому-то пора вставать, а кто-то еще не задремал, зависнув между полом и потолком. Долгими ночами можно сочинять письма на трех–четырех страницах — можно, конечно, но зачем? — надписывать на конвертах случайные имена-фамилии, рассылать по российским городам: «Главпочтамт. До востребования», ожидая нескорого возвращения с пометкой «Не востребовано», словно прибыло послание от далекого друга, готового на бумаге излить душу, передать на хранение в бережные руки.

Радостью хочется поделиться с каждым.

Страдание — неделимо, способное привести к очищению или к одичанию с озлоблением.

По телевизору показывают: косматое облако с темным обводом заваливается за гору Хермон, провисая под тяжестью градин. Снег опадает в Галилее, завороженный притяжением к земле, кружит пышными, приметными хлопьями, из которых хочется свить нити, соткать ткани, пошить свадебные наряды. Там, в Галилее, туманы обвисают до крыш, градины скачут по черепице, стынет вода под льдистой коркой, стекленеют лепестки роз, седеют травы под утро в точечном бисере, роспись узорчатая на стеклах машин, — воспоминания осаждают комнату, в которой не схорониться, не заблудиться без возврата во снах.

Окликнет старец в дверях синагоги: «Мужчина, тебе плохо». Ответит: «Мне хорошо». — «Подойди. Прими слово». Ответит: «Я знаю все слова». — «Моего ты не знаешь». Ответит: «Я не верю в твое слово». — «Я верю. Этого достаточно».

2

Дедушка с внучкой завтракают на кухне: ей молоко с кукурузными хлопьями, ему бутерброд с сыром.

Ящерка повисает без движения на оконном стекле. Суматошится муравей, озабоченный пропитанием огромной семьи, заползает на чашку со сколом, обжигая лапки, Ая его укоряет:

— Зачем тебе кофе? Такому маленькому?..

После завтрака приходит Ото-то, и они принимаются за дело. Выкинуть из дома излишнее, отобрать вещи, которым нет места в подступающем дне, — неотложная их забота. Мама Кира и папа Додик гуляют по Мальте, помешать не в состоянии, Ая и Ото-то бегают по квартире, выискивают, несут к дедушке на окончательное решение.

— Тапочки?

— Оставить.

— Они же драные!

— Выкинуть.

— Шапка?

— Чья?

— Ничья!

— Выкинуть.

— Коврик?

— Чей?

— Твой!

— Оставить.

— Горшок с кактусом?

— Отнести на балкон.

— Там и так много!

— Отдать Ото-то.

— Вазочку с трещиной?

— Ему же.

Ото-то берет с удовольствием, утаскивает к себе, усердием переполнен: чем больше вещей в доме, тем легче что-то найти.

Ая сомневается:

— Нам не нагорит?

— Они не заметят, — обещает Финкель, ибо вещей в доме немало, а мама Кира подбавляет и подбавляет после каждого путешествия. Шкафы пучит от одежды, статуэтки теснятся на полках, картинки покрывают стены туалета, забавные фигурки на магнитах облепляют дверь холодильника — Финкелю тесно посреди чрезмерного обилия, к новым вещам долгое у него привыкание, но папа Додик не перечит, и мама старается вовсю.

«Что такое? — сокрушается мама Кира. — Пропадают вилки. Чайные ложки исчезают. Ситечко не отыскать». Дедушка с внучкой переглядываются: «Ложки мы не трогаем. И вилки. Ситечко — тоже не мы». — «Телевизор бы еще выкинуть, — мечтает дедушка, — но они обнаружат».

Выходят из дома, видят реб Шулима под нависшими апельсинами, в глубинах своей отрешенности. Финкель проверяет привычно: четыре, всё еще четыре, к вечеру запишет:

«...у реб Шулима черная точка в глазу; хлопотливая букашка зависает на краю зрения,

227

чтобы сорваться с места, шустро перепорхнуть на дерево, с дерева на дом, с дома на облако. "К этому привыкают, — успокоил глазной врач. — Перестают замечать". Но он привыкать не желает. Сказала та, чье прощение не вымолить: "Живешь не в себе, Шулим, живешь рядом, будто отстегнутый. Лишь бы не отвечать за себя, не отвечать за меня, годы перетерпеть — тихой тенью по стеночке". — "Я звал, но ты не пришла". — "К кому было приходить, Шулим? К тому, кто снаружи, или к тому, кто внутри?" — "Хотелось как лучше". — "Как лучше, хотелось и мне..."»

Женщина разместилась в будке, распирая ее изнутри, торгует лотерейными билетами, и остается гадать, как она втиснулась в тесное пространство.

— Ставлю ему бутылку — выжрал. Ставлю другую — то же дело. Дак с моих доходов не напасешься.

Топчется у окошка мужичок с неизбывной жаждой в груди, спрашивает старого знакомого:

— На взлет?

— На прогулку, — отвечает Финкель. — Город раскидистый, есть на что посмотреть.

— Может, и мне с вами?.. — размышляет мужичок. — Дала бы на автобус.

— Заработай сперва, — отвечает неласково из будки.

— Сказала... До работы надо еще доехать, а у меня на билет нету.

— Не дам, — говорит решительно. — Пропьешь.

Мужичок оглядывает ее мутным взором, с неким, казалось, ошеломлением, затем сообщает:

— Баба моя, поперек себя баба! Таежная, из промысловых, нигде не пропадет! Ты ее в пустыню закинь, в вечную мерзлоту, она и там извернется, мужику заработает на прокорм. Думаю даже так: скинуть ее с тридцатого этажа, упадет на лапы. Точно тебе говорю: баба — она живучая.

Осматривает придирчиво женщин на улице:

— Здешние не такие. Куда против моей.

Автобус увозит их в город, мужичок вздыхает вослед:

— Матери бы послать... Доллара два. Душа болит за мать...

3

— Нам сходить? — спрашивает Ая.

— Через две остановки.

— Зачем же встали у дверей? Так рано.

Хороший вопрос, сгодится на обдумывание: отчего мы совершаем то, что совершаем? Ответ может быть таков: «Состарилось, уходит поколение, срок отбывавшее при скудости-стеснениях. Не изготовят. Не завезут. Не подпустят. Не выложат на прилавок. Автобус не остановится, остановится — не откроют двери, откроют — не успеешь сойти...» Возможен и иной ответ, если он, конечно, существует.

Старушка — улыбчивая горбунья с обезьянкой — примостилась на парапете в центре города. Обезьянка танцует в ее руках, вскидывая тряпичные ноги, старушка шевелит бескровными губами, выпевает слабеньким голоском: «Я тучка, тучка, тучка, а вовсе не медведь...»

Бровки белесые, реснички реденькие, носик остренький, сиротливая монета в стаканчике. Огорчаются за нее: одинокая, должно быть, заброшенная старушка, достойная сожаления, а она отвечает:

— Я не одна. Я с подружками. Одно плохо: они при мужьях. Ходят парами, меня с собой не берут.

Финкель интересуется:

— Бабушка, не устала?

— Какая тебе бабушка... Помоложе буду.

— Шла бы домой. Отдохнула.

Смотрит на них светлыми, отцветшими глазками, в которых приязнь с хитринкой:

— Чего там не видала... Стены одни. Тут хоть на людях. Тучка — не медведь.

Звякает монета в ее стаканчике. Звякает другая.

— Очень вам благодарная, но можно без этого.

— Зачем же петь?

— А для удовольствия... Думала: всё уж, износилась, граждане-товарищи, докукую какая ни есть, — сняли катаракту с глаз и ожила. Мир просветился. Тьма рассеялась. Лица придвинулись. На что хошь сгожусь!

Взглядывает с торжеством, говорит с вызовом:

— Кто ломкий, а мы из пластинчатых. Согнут — выпрямлюсь, платьице себе справою, укладку сделаю, стану хорошиться, глазки строить... Тоже не худо!

Затягивает: «Я тучка, тучка, тучка, а вовсе не медведь...» Ая подпевает: «Я тучка, тучка, тучка...» Обезьянка лихо притоптывает тряпичной ногой, Ото-то шлепает по асфальту огромным башмаком, прихлопывает ладонями, выказывая лошадиные зубы: «Я тучи-ка... Тучи-ка...» Прохожие останавливаются, улыбаются, кидают монеты в стаканчик.

Попели. Повеселились. Собираются уходить, а старушка просит:

— Умыкните меня. Всё веселее.

Останавливаются.

— У вас внуки есть?

— Есть, — отвечает. — Даже телефон подарили — призывать на помощь, а я его отключаю... Так что? Станете умыкать?

Финкель говорит:

— Разве можно похитить чью-то бабушку? Уму непостижимо.

Идут есть мороженое — Ото-то на радость. Улыбчивая горбунья с обезьянкой шагает следом, не отстает.

— Бабуля, ты куда?

— Куда вы, туда и я.

Вопрос ставится на обсуждение.

— Возьмем? — спрашивает дедушка.

— Возьмем, — соглашается внучка.

— Мороженое... — беспокоится Ото-то. — На всех не хватит.

— Хватит.

— Мне вашего не надо, — гордо заявляет старушка, позванивая монетами в стаканчике. — Своего наработано. Зяма, муж мой, упреждал перед загулом: деньги и нервы полагается тратить.

Финкель повторяет задумчиво:

— Мир просветлился. Тьма рассеялась... Не снять ли и мне катаракту?

А старушка в ответ:

— Порадуешься — всё увидишь. Опечалишься — себя разглядишь.

4

Возле кафе стоит стул.

На стуле примостился хмурый баянист, голову склонил набок, чуб свесив поредевший, небрежно растягивает мехи: «Буденный — наш братишка, с нами весь народ...»

Жарко. Солнце припекает. Женщина останавливается возле него, слушает, кладет монету в футляр от баяна, улыбается стеснительно:

— В память о дедушке...

В кафе благодать. Разложено под стеклом великолепие всяких сортов. Усаживаются за стол, смакуют ванильные, шоколадные, лимонные, клубничные шарики.

У окна дед с внуком. Оба упитанные, мордастые, с наслаждением потребляют огромные порции со вкусом вишни, персика, киви и пассифлоры. Дед приглядывается к ним, подходит:

— Честь имею, граждане товарищи!

Финкель отзывается:

— И мы имеем.

Простоват с виду, возможно, плутоват; мог бы затеряться на дворовой скамейке, среди игроков в домино, там он на месте. Глаза выпученные, шальные, сеточка нездорового румянца на щеках, из ушей торчат пучки сивых волос, которые не мешало бы укоротить. Из тех творений, довольных собой, что не знают преград на море и на суше.

— Женщина, — как на одесском привозе, приценяясь к буракам с синенькими. — Вы меня, конечно, извиняйте, но я прерву ваше застолье.

Горбунья разрешает без любезности:

— Прерывай.

— Балабус, — как на том же привозе, — я вас узнал. Мы учились в одном классе и жили в соседних домах.

— Простите, но я вас не помню, — отвечает Финкель. — У меня плохая память на лица.

— Вы простите: она у меня хорошая. Вашу жену тоже помню. Интересная женщина, очень мне нравилась... — Смотрит на старушку: — Это были не вы.

Общая неловкость, но унять его невозможно.

— Сейчас вы меня припомните. Был диктант, и я написал слово «жеребенок» таким образом — «же ребенок». Доказывал потом: «Это же ребенок», а мне поставили двойку.

— Как же, — улыбается Финкель. — Такое не забывается.

— Вот видите! Учительница сказала: «Ты плохо начинаешь, Яша», а я ответил: «Зато хорошо закончу». Кто думал, что это произойдет в Иерусалиме?

Щелкает каблуками:

— Майор Финтиктиков. В отставке майор и в отставке Финтиктиков. Что скажете о моей фамилии?

— Редкая для еврея. Однако не хуже прочих.

Торжествующе:

— Вот!.. С ваших бы уст да в Богово ухо. А внук сказал: «Чересчур длинная фамилия. Бессмысленная трата букв», решил укоротить. Фин, Зеев Фин. Тут уж я возмутился: «Вей из мир!.. Фин! Что за Фин?! С двумя «н» на худой конец?» — «Зачем, — говорит, — с двумя? С одним достаточно». — «Фин! — кричу. — Огрызок какой-то от Финтиктикова... Обобрал! Обкорнал отца, деда с прадедом, я не переживу!..» Тогда он поменял фамилию на Цимхони. Потому что не ест мяса.

— Да, — соглашается Финкель, — не простой случай.

— Вы понимаете! — ликует. — Вы меня понимаете!.. Я ему говорю: «Цимхони по-нашему — Вегетарианцев, еще больше букв в слове». Внук отвечает: «Я не живу по-вашему».

Спрашивает:

— Не поменять ли и мне фамилию? Заодно с ним? Бывший Финтиктиков, ныне майор Цимхони... Но я люблю мясо. Особенно курицу. Что посоветуете?

Бурно хохочет. Слеза пробивается от смеха в выпученном глазу.

— Видали? Нет, вы видали? Чуть что, глаза мокреют. «Финтиктиков, — говорили в полку, — не быть тебе генералом. Слезлив не по чину». А я отвечал: не по чину обрезан.

Клетчатые, в синеву, панталоны коверного в цирке, широкие и короткие, клетчатая шапка с козырьком и оранжевым помпоном: выйти на манеж, заверещать пронзительно до дальней галерки: «Здравствуй, Бим!», шлепнуться носом в опилки, чтобы заалел на потеху зрителей.

— Вас не удивляет мой наряд? — продолжает бравый отставник. — Отдыхаю после мундира, погон с портупеей, казенных гаткес под брюками, которых стыдился в дамском обществе. Отдыхаю сознательно и бесповоротно: чего стесняться? Недаром говорил мой шофер: однова живем.

Излишки живота сползают с туловища, обвиснув над брючным поясом, в глубинах голубой, в разводах, рубашки. Зубы белые, крепкие, не иначе вставные. Бритая наголо голова, спереди чубчик.

Старушка интересуется:

— Ты у кого стрижешься?

Изумляется:

— Вы заметили? Нет, вы заметили? Это же «бритый бокс». Единственный «бритый бокс» на всю страну! Мастер старенький, руки трясутся: бреет по волосу, потом против волоса, денег с меня не берет. «Ради прежних утех, — жмурится. — Сладостных ради переживаний. Еще бы "Шипром" освежить, да где ж его взять? В войну тоже не было "Шипра". Весь выпили».

Снова хохочет.

— Идн, назначаю вам свидание. В этом кафе. Бли недер. Не зарекаясь. Посидеть, вспомнить былое. Мастер советует, у него опыт: «С клиентом полагается беседовать, больше заплатит. С дураком говори по-дурацки. С умником продержись пару минут».

— Пару минут, — повторяет Финкель, давая понять, что разговор закончен. — Больше и нам не осилить.

Но Финтиктиков не уходит:

— Что я хочу сказать... А биселе, самую малость, пока мороженое не растаяло. Воевать не довелось, но вся служба прошла при оружии, и у меня есть соображения. Судьбу человеческую — ее полноту — надо оценивать по тем возможностям, которые у каждого были. Чтобы погибнуть. Вы со мной согласны?

— Проясните, — просит Финкель; это уже любопытно, до этого следовало додуматься самому, уложив в очередной сюжет.

— Мы с вами погодки, и большая война малолеток не зацепила. Но возможности были, еще какие! В сороковом году наша семья переехала с Украины в столицу, не то пропали бы за милую душу. В сорок первом собирались летом под Житомир, но отца не отпустили с работы, — в какой яме лежали бы наши кости? Не падала на нас бомба при немецких налетах: хоронились в подвалах, в туннеле метро, — на кого-то она падала. Не разбомбили с самолета эшелон, когда уезжали из Москвы...

— И наш, — соглашается Финкель. — Не разбомбили.

— А в нас, — сообщает горбунья, — попали сразу. В лесном овраге. Из пулемета. Но мы выжили. Не все, конечно. Одна я...

...ее прятала польская семья. На хуторе возле Слонима: отец, мать, дочь Ванда. Девочка была крохотная от долгого недоедания, много места не занимала; утаивали ее в кадушке из-под квашеной капусты, в кислом задыхе, накрыв поверху деревянной крышкой. «Вот, — радовалась Ванда, — ночь прошла, немцы не явились...» — «Я не волнуюсь по одной лишь причине, — вздыхала пани Мазовецкая. — Мы прячем ее не ради заработка, и Всевышний нам поможет...» А пан Мазовецкий добавлял: «Денег впрок не засолишь. Поверь, деточка, старому человеку: всё проходит, плохое и хорошее...»

Сон настиг нежданно: папа-мама, дедушка с бабушкой, крохотный Велвик-ползунок уселись на пол возле кадушки, справляя траур по самим себе. Дедушка надорвал ворот рубахи, сказал: «У нас пули в груди, но мы еще не умерли. Побудем немного у тебя. Если хочется жить, и очень хочется, дается отсрочка». А остальные молчали. Пили молоко с толстыми ломтями ржаного хлеба, наедались напоследок — не снести их взглядов. Спрашивала, приподняв крышку: «Вы на меня обижены?» Не отвечали. «Возьмите с собой». Опускали глаза. Ушли — оставили Велвика, который не умел ходить: «Он еще не знает, что такое смерть, и поживет у тебя подольше».

Слезы жгли ранки на теле, не давали им заживать; команды у оврага подавляли, не унимаясь: «Шнеллер! Шнеллер!..» Велвик долго еще объявлялся во снах, не подрастая, папа-мама, дедушка с бабушкой усаживались возле кадушки из-под квашеной капусты. «Упокойтесь уже. В ваших укрытиях». — «Нет для нас укрытия…»

Приехала в Иерусалим, сходила на Гору Памяти, затихла во мраке зала посреди душ-огоньков, вслушалась, затаившись: «Рут Лившиц, полтора года, Польша», «Хаим Шиперович, три месяца, Украина», «Эстер Финкельштейн, пять лет, Латвия», — Велвика-ползунка пока не назвали…

5

Финтиктиков извиняется:

— Отнимаю ваше время, драгоценное на старости. Порядочный человек должен возместить потерю.

— Ну что вы!

— Нет-нет, я обязан. Майор Финтиктиков не богат. Гурништ мит гурништ. Нет у него ничего, кроме государственного пособия и офицерской чести, но этого достаточно. Я вам спою, не возражаете?

Горбунья, шепотом:

— Он безумный.

Финкель:

— Он жизнерадостный, но порой это одно и то же. Мы вас слушаем.

Поет — руки по швам:

— «Штейт уф, ир але вер, ви шклафн...» Нравится?

— Очень. Но что это?

Глаза таращит под густыми бровями:

— Вот и они спрашивали: что это? Да еще на партийном собрании. Так «Интернационал» же! На идише! «Ин гундер лебен муз, ин нойт...» Финтиктиков, говорили, откуда нам знать, что «Интернационал»? Может, «Боже, царя храни...» Мы же это в местечке пели, в детском саду: извилину затерло до конца дней.

Хлопает ладонью по животу, тот сотрясается под рубашкой от беззвучного хохота.

— Потом была Москва, школа, где с вами учились. Молодой, дурной, молол языком где попало, родители пугались: «Станешь взрослым, говори свои глупости и садись в тюрьму. Пока что нас за тебя посадят». А я им: так у меня же наследственность! От дедушки Ниселя! Который ходил по улицам, бормотал под нос: «Чтоб у этих газланов, в их закрытых распределителях, убыло — не прибыло...» Дети волновались: «Папа, тебя арестуют!» — «Что такого? Я только думаю». — «Папа, ты думаешь вслух! Тебя привлекут, папа!..»

Кричит внуку:

— Не трогай мое мороженое! Обжора!.. После школы не прошел в институт, забрали меня в армию. Тут умер Сталин. Политрук ходил перед строем, выискивал слезы на лицах: не заплачешь — наряд вне очереди, три наряда.

— Заплакали?

— Не без этого... Командир сказал: «Болтать вы все умеете. Посмотрим, как под танки станете кидаться. Со связкой гранат». — «Зачем, — говорю, — под них кидаться? Разве нет иных способов подбивать танки?» — «Финтиктиков, тебе нашего не понять». И отправили мыть сортир. Еще сортир. И еще... Тогда я решил: стану офицером, пусть другие за меня моют.

Ото-то их не слушает, говорящих по-русски. Заглатывает мороженое, постанывая от нетерпения, холодом ломит в висках, губы вымазаны шоколадом, — счастливый человек, который родился, чтобы сразу не умереть. А неуемный майор не замолкает:

— «На Дальнем Востоке пушки гремят, убитые солдатики на земле лежат...» Помните, пели в наше время?

— Кто ж этого не помнит? — вскидывается старушка и подтягивает слабеньким голоском: — «Мама будет плакать, папа горевать...»

— На Ближнем Востоке тоже погромыхивает, — завершает разговор Финтиктиков. — Готеню, тут бы не разбомбили...

Возвращается к внуку, который покончил со своей порцией и доедает мороженое деда, щеки торчат на стороны.

— Лопнешь, — остерегает майор.

Внук отвечает:

— Ты не лопнул, и я не лопну.

Ночью он запишет, Финкель-смехотворец, не сможет удержаться:

«...время подступало суровое.

Положение непоправимое.

Их построили. Слева военные, справа жены. "Ситуация, — сказали, — напряженная. Замирение во всем мире. Кого же тогда давить, травить, глушить зарядом?.. Попрощайтесь, — сказали, — пока не поздно. Назад вернетесь не обязательно". Разбежались до утра по домам, попрощались со старанием: у Финтиктиковых родился мальчик.

В штабах тоже не дремали. Срочно провели войсковые учения, максимально приближенные к боевой обстановке. С фланговыми обходами, эшелонированной обороной, штурмом высоты Безымянной.

В безлунную ночь Финтиктиков привез десяток ульев и "заминировал" подходы к своим позициям. Под утро противник пошел в атаку, завалил безобидные с виду тумбочки, и пчелы, озверевшие от холостой пальбы, криков "Ура!" и наглого неприятельского вторжения, в ярости вырвались на оперативный простор, порушив продуманный в штабах стратегический замысел.

Танкисты выпрыгивали из танков, артиллеристы из самоходных орудий, пехота выскакивала из окопов полного профиля, штабные наблюдатели — из блиндажей в три наката. Связисты скинули рации, убегая налегке, повара побросали котлы с недоваренной пшенной кашей, спасаясь от озверевшего противника, а Финтиктиков выставил пасечнику бутыль мутного деревенского разлива устрашающего вкуса-запаха, которую они дружно ополовинили под огурец с медом.

— Майор, — щурились в полку, — какой-то ты не свой. Ополовинить и не допить — не по-армейски, майор. Как тебе доверить живую силу и технику?

А он:

— Вы бы эту силу в увольнение отпускали, пока живая! Дорвутся до города в кои-то веки, на девок насмотрятся, ширинки потом расстегнут, хулиганят повзводно на политграмоте...

Извиняйте великодушно».

6

Они идут к двери, а майор тянет руки по швам, провожая пением «Интернационала»:

— Дер гайст, эр кохт, эр руфт цум ворн...

Хмурый баянист так и сидит на припеке, лицо обгорело, чуб растрепался, с неохотой растягивает мехи: «Среди зноя и пыли мы с Буденным ходили на рысях на большие дела...»

Кладут ему по монетке, и улыбчивая горбунья спрашивает Финкеля:

— Ты небось учинитель?

— Небось, — соглашается. — А что это?

— Который учиняет невесть чего. Невесть для кого. Тоже спою для тебя, так уж и быть. Наше, деповское.

Ставит обезьянку в первую балетную позицию, притоптывает тряпичной ногой, прошитой суровой ниткой, выкрикивает пронзительно, словно на вечорке под гармонь:

— Бабка Маланья, чтоб ты сдохла! Лишь бы сердечко по тебе не сохло...

Финкель в восхищении:

— Бабуля, ты — Арина Соломоновна! Речь у тебя замечательная. Слова редкостные.

Отвечает:

— Оплошал, батюшка. Не Арина Соломоновна, а Рахиль Абрамовна. Поживи с мое при рельсах, на Сортировочной, посреди слесарей, кочегаров, сцепщиков вагонов, и ты наберешься. Хочешь, ругнусь в три коленца?

— Не надо.

— Не надо — не будем. Закрой поддувало, не сифонь!

Говорит на прощание:

— Зяма мой покойный был, между прочим, машинистом паровоза, один Зяма на всё депо. «Красную стрелу» ему не доверяли: это была его мечта — «Красная стрела». Водил почтовые со всеми остановками, по боковой ветке, через Дмитров–Калязин; паровоз исходил маслами, вагоны пучило от узлов-баулов, лязгало-дребезжало от Москвы до Питера. На первый путь его не подавали; другим доставался первый путь на вокзалах. Возвращался домой чумазый, замызганный: не отмыть, не отстирать; по ночам гудел во сне, детей пугал, сам обмирал под одеялом. «Аварии, — шептал, — снятся. Со многими жертвами...»

И пошагала — тряпичная обезьянка под мышкой.

— Бабуля, ты куда?

— Куда, куда... На прежнее место. «Я тучка, тучка, тучка, а вовсе не медведь...»

— Не угомонилась еще?

Взглядывает хитровато:

— Прокукуем столько, сколько отпущено. Большего не дадут, меньшего сами не попросим.

— Будь здорова, бабуля.

Останавливается:

— И всё?.. Иного не пожелаете? Ни удовольствий, ни приятных неожиданностей? Имейте в виду: чего не скажешь, того не будет.

— Такая на нас ответственность?

— Вы что думали?.. Мне многое полагается. С той бочки из-под капусты.

— Какая бочка, бабуля?

— Известно какая. Кому путь полотном под ноги: петелька к пуговке, кому ухабами: с петельки на пуговку...

И нет ее.

Финкель — задумчиво:

— Удивительно. Очень даже...

Девочка Ая:

— Я тоже тучка. А вовсе не медведь.

Ото-то — в вечной своей озабоченности:

— И я тучи-ка. Могу спеть не хуже. На мороженое заработаю.

Еще с улицы слышны крики.

В подъезде сумотошатся доктор и фрау Горлонос, растерянные и взволнованные. К ним привезли внука на пару часов, коляску оставили возле почтовых ящиков, но вот же, вот, «Ой-вай-вой!..»: в коляске, на голубом матрасике, разлеглась кошка рыжее рыжего, бока опали, как не были, а возле нее копошатся слепые попискивающие комочки, которыми она разрешилась. Горбит спину, шипит на всех — не подступиться.

— Де-душ-ка... — У Аи воздуха не хватает от волнения. — Возьмем?

— Возьмем. — Вежливо просит: — Уважаемый сосед, господин доктор ухо-горло-нос! Позвольте одолжить коляску на пару минут, отвезти ее содержимое в нашу квартиру.

Доктор Горлонос изумлен:

— Вы хотите взять это? Это?.. Но зачем?

Фрау Горлонос оказывается сообразительнее своего супруга. Выпевает, исполненная истомы:

— Берите уже. Только верните поскорее.

Вкатывают коляску в квартиру, выкладывают на пол старое одеяло, которое не успели выбросить, но кошка не подпускает, она никого не подпускает, ощерив остроту зубов и когтей. Известно из многих наблюдений: собака принимает безоглядно чью-то заботу, кошка с недоверием. Кошка должна убедиться сначала, что заботятся о ней с корыстной целью, для личной выгоды, иначе забота настораживает, заставляет выискивать скрытые поползновения, от которых не жди добра, — человека это тоже касается.

— Я... — решается Ая. — Я попробую.

Наклоняется над коляской, убеждает шепотом:

— Пока котята не подросли, тебе нужна тишина, тепло, хорошая еда. Соглашайся, глупенькая.

И кошка соглашается, доверившись ребенку, который не способен еще притворяться. Располагается на одеяле, рыжие комочки тычутся ей в живот; Бублик разглядывает пришельцев, опасаясь приблизиться, Ломтик от волнения брызгает малой струйкой: не выгонят ли его на улицу, обменяв на пришельцев?..

Бегут в магазин, покупают непромокаемые штанишки для младенцев, натягивают на Ломтика, высунув наружу хвостик через проделанный надрез, — можно теперь не смущаться, брызгать в свое удовольствие.

— Ковчег, — определяет Финкель. — Квартира обращается в ковчег. Ох и достанется нам, когда мама вернется!..

Продолжается день пятый, по окончании которого Финкель попытается взмыть в заманчивые высоты, сожалея о невозможном и безвозвратно утраченном...

7

Девочка Ая сует нос в мохнатое ухо, нашептывает с оглядкой: «Никому не расскажешь? Честное медвежье?..» Сообщает, глаза раскрыв до невозможного: «У дедушки есть под-ру-га». — «Молодая?» — «Не знаю». — «Хороша собой?» — «Еще бы...»

Снова она звонит.

В нежданный день. В неурочный час.

— Забери меня.

И он выскакивает из дома.

Бежит.

Едет.

Снова бежит.

Нет никаких надежд, чтобы такое приключилось, но вот же оно, вот она — формула счастья: где ждут, туда поспешай!.. Не счесть психологов на крохотную страну, не счесть психиатров: разобрались бы, что происходит со старым человеком.

Тайная подруга ожидает на скамейке, словно не уходила. Ладонь укладывает на ладонь.

Солнце над головой. Середина рабочего дня.

— Тебя уволят.

— Ну и уволят.

Молчат. Обвыкают после разлуки. На газоне напротив французского консульства, где сосны тянутся к облакам, ветер погуживает на высоте, неприметный дятел шустро взбирается по стволу, выискивает жучков-короедов.

Берет за руку, и он идет. Сажает в машину, и они едут.

Сосны покачивают встрепанными макушками, расставаясь, но не осуждают, нет, они не осуждают. Взревывает мотором. Первой срывается у светофора. Машина — оранжевой капелькой на колесах скроена ей по мерке; ведет машину уверенно, руки умело справляются с рулем — до чего несхожа с той, которую хочется защитить и уберечь.

Ехать им недалеко. Совсем близко.

Лестница распахивает призывные объятия, приглашая вознестись по ступеням.

Окна пробуждаются от спячки, высматривая пришельцев глазами вымерших хозяев.

Чудо перед ними.

Чудо тропиков на газоне.

«Angel`s Trumpet», «Brugmansia пахучая».

Обвисают долу блекло-желтые соцветия, чтобы затвердеть в вожделении к их появлению, вскинуть к облакам ангельские трубы, возвестить в ликовании, на долгом дыхании, донеся призыв до небес. Какой чудодей сочинил эту мелодию взахлеб от невозможной одаренности, которому всё доступно, всё раскладывается по нотной линейке, излечивая опечаленных, удрученных, тоскующих по прибежищу?

Дом в три этажа. Дом прежних времен, музей непосещаемый в терпеливом ожидании посетителей.

Ведет его за руку, не отпускает. Ключом открывает дверь.

Кто она? Хранитель этого музея, подруга хранителя, взломщик-любитель? У нее, возможно, ключи от всех дверей города, от подъездов его и квартир; с ней, вслед за ней можно войти куда угодно, сесть за стол, отдохнуть на случайной постели.

Расписной потолок на входе.

Комната налево. Комната направо.

Всё готово к торжественному приему. Разложены фрукты, расставлены бокалы и бутылки вина, на патефоне ожидает долгоиграющая пластинка «His master`s voice»: Брамс, симфония № 1 in C minor, Arturo Toscanini. Зеркало на полстены спешит отразить гостей в своих глубинах, но они не удостаивают его вниманием, устремляясь вверх по лестнице.

Двери раскрываются на пути.

Раскатываются ковровые дорожки.

Зажигаются хрустальные люстры с подвесками в глубинной переливчатости.

Опускаются гардины на окнах.

Звенит колокольчик, призывая к трапезе, раздвигаются столешницы из мореного дуба, укладывается шумная, накрахмаленная скатерть к приему гостей, супница на ней, соусница, хлебница под вышитой салфеткой, вилки-ложки начищенного столового серебра, тарелки саксонского сервиза с гербами.

Вот и камин с задымленным устьем — одинокое полено на решетке. Балки на потолках темного, прокопченного дерева. Выцветшие гобелены на стенах. Книги в кожаных переплетах, недоступные для прочтения. В позабытом аквариуме тени неспешных золотых рыбок. В напольных вазах букеты истлевших цветов. В шкафах плечики от костюмов, которые давно износили.

Их это не интересует.

Выше по лестнице. Еще выше. Под самую крышу. Где ожидает кровать, взбитые к их приходу подушки, призывно откинутое одеяло: кто так постарался? — и некто невидимым стражем встает за дверью, не давая обеспокоить.

Одежды слетают сами, ненужные им покрытия.

Матрац охает от позабытой тяжести.

Стон. Возглас. Всплеск. Познавание заново:

— Руки... Руки твои...

Душа не выбирает выражений.

Стены не выдадут их тайну. Сосны не выдадут. Машина-капелька и французские дипломаты. Начинает говорить — слова липнут к губам, не желая слетать. Она — сон, его сон, и не хочется просыпаться. И не проснуться.

— Я видела, видела... Как гвозди вбивали в дерево... Веревку протянуть на газоне, белье сушить... А оно живое, живое! А они — гвозди! И я, я живая...

Кто вбивал те гвозди? Кого винить? Глаза невидящие, ладонь ищет ладонь, сердца оплывают нежностью.

— У нас две недели... Две, всего две. Будем жить, словно в запасе такой срок...

Он говорит ли это? Она? Выдох ли общий?..

Голова на его плече. Дыхание — теплотой в шею. Слеза без звука. Цвет духов под цвет глаз, опахивает горчинкой к скорому расставанию, когда упрятывают чувства на пороге дома, где надышано возле нее, кем-то населено: чай недопитый, головы на постели, глаза бессонные...

Ликующий старик нежен и светел, старик опечаленный прост и задумчив.

— Принимаю тебя всю, без изъятия. Голос твой, слово твое, прежние твои привязанности... Не живу без тебя, спешу без оглядки к тебе, а на деле к себе, которого позабыл. Открыться тебе — себе, принять целиком тебя — себя. Не хочу стареть! Не хочу — не буду!..

Рыдания прорываются наружу. В голос. Как оплакивают покойника.

— Не плачь, ну не плачь же...

Нависает над ним — и умоляюще-яростно, сжимая кулаки:

— Обещай десять своих лет! Еще десять!..

— Я попробую.

Глаза огромны от слез. Глаза требовательны:

— А потом?

— Потом — нет. Потом — меня ждут.

Не сыскать его доли. В ее будущем.

Чутким прикосновением слепого огладить лицо, шею, плечи, припоминая и запоминая. Задремать в теплом касании, заспать ощущения, опустить, не расплескав, в глубины, затворить навечно дар неразменный.

Потолок глух к пришельцам. Чужой потолок с видениями прежних постояльцев, недоступных случайному посетителю. Ей, ушедшей до срока, не пробиться через иные лики, лишь голос издалека, тихий, встревоженный: «Простые числа — это мы с тобой, Финкель. Которые ни на что не разделить, только на самих себя. Не забывай этого». — «Ты меня укоряешь?» — «Я тебя дождусь...»

...терпеливо наращивал скорлупу, плотную, неприступную, заполнял изнутри печалью, пытаясь сохранить ту, которую не вернуть, не растерять в послойной сутолоке. Он вызвал ее, тайную свою подругу, захлебнувшись тоской, но, объявившись — во сне, на странице, в музее непосещаемом? — она взломала скорлупу единым махом, и прорвалась к нему неутоленность в минуты встреч, ожидание в часы расставаний, прорвалось ночное одиночество, которое нестерпимее одиночества дневного...

Минуты ползут медленно, часы пролетают быстро.

Тяжелые гардины не пропускают света.

Вечер на улице? Ночь? Рассвет над городом?

«Ты — повсюду. Тебя тебе не отдам, если покинешь меня». — «Я не покину».

Белеет подушка. Темнеют ее глаза. Проглядывают у стены, в затенении, худенькие, хроменькие, в черноту оранжевые карлики Риш и Руш, прямым ходом с озера Ньяса. В руке у каждого лук, за спиной колчан: стрелы отравлены скорбью. Стынут в терпеливом ожидании, готовые подхватить под руки, проводить до дома, подскакивая на ходу, дроздами по черепице.

— Мне пора.

Не впечатать тень в тень, до утра не побыть вместе. Горячие струи под душем, могучий напор, вода щиплет кожу. Одеваются, выходят на улицу, усаживаются в машину — не стронуться с места.

Окна в доме глохнут, прощаясь с неохотой.

Лестница смыкает объятия.

Опадают долу «Angel`s Trumpet», «Brugmansia пахучая», истратив в ликовании все силы, чтобы провиснуть до нового вожделения, которое вновь донесут до небес.

Музыка из приемника ворожит-утягивает: «Dance me to the end of love...» Пара проходит мимо в поисках пристанища: пожилой, очень уж пожилой мужчина и женщина моложе его — взглядом, поступью, статью. Смотрят понимающе из машины: «Наш вариант...», но нет у бездомной пары ключей от дома, нет ключей от города, оттого грустны, бесквартирны, рука в руке.

Собака крутится возле хозяйки на трех ногах, четвертая, иссохшая, немощно торчит на сторону. Воркотня в горле, журчание — говорливым ручейком по камушкам.

— Пихпух, — ласково окликает его. — Пих- пушек ты мой...

— Пих-пух... — осмеивают птицы с ветвей. — Пих-пу-пу-пух...

Бедные собаки с их обостренным чутьем, вынужденные вдыхать чужеродные мерзости, — за что они любят род человеческий? А этим вдвоем хорошо. Этим замечательно. Пихпух ластится к хозяйке шаловливым щенком, бьет хвостом по траве, спину выгибает в полноте чувств. Глаза умильные, дружба в них, предлагаемая навечно, преданность до последнего вдоха. Появится на ближней скамейке табличка с надписью: «В память о Пихпухе, который гулял здесь без присмотра».

Тайная его подруга срывается с места, прокручивается вокруг домов, тормозит возле торговца цветами.

Выбирает букет подсолнухов, показывает издалека: этот? Он кивает из машины: этот, конечно, этот!

Жест ее — родной, семейный, жест его — понимающий, принимающий, после чего надо ехать в совместное их жилье, поставить подсолнухи в вазу, накрошить овощи для салата, сдобрив горчичным соусом, добавить авокадо и кедровые орешки, разлить вино по бокалам, разломить темный, туго пропеченный хлеб с вкраплением зерен, ужинать без спешки, пустой болтовни, домоседствовать в опрятности и покое до конца дней: нужные слова, единые помыслы, незамутненные отношения, — комнаты вберут их теплоту, стены напитаются их приязнью, чтобы потом, через вечность, чуждые им люди, поселившиеся там, творящие жизнь с небрежением, забеспокоились в тяготах вздорного пребывания, пытаясь угадать, кто жил до них так вдумчиво, осмысленно, с таким согласием и доверием, отчего этот дом, не ставший их домом, бережно и упрямо хранит память об ушедших, их тихий смех, редкие восклицания, сцепление оголенных рук за погасшим окном?..

Где они будут стоять, те подсолнухи? Кого радовать?

Машина оранжевой капелькой стелется над асфальтом. Бесшумно. Завороженно. Красные огни светофоров продлевают их встречу. Две недели. Всего две. «Dance me to the end of love...»

Довозит его до дома.

Взревывает мотором от избытка чувств — закружить по городу, по окраинным его улицам, вписываясь в повороты на стонущих покрышках, проваливаясь в низины, взлетая на верхушки холмов, хорошея от страданий, изливая тоску до последней капли бензина. А небо полыхает карминным великолепием. Пыхает восторженно жаром костра. Подергивается пеплом его углей. Дотлевает на закатной полосе, придавленное грозовым облаком к кромке горы.

«Финкель, сознавайся, — упрашивает старик опечаленный, так упрашивает, что хочется повиниться. — Неужто и ее выдумал, тайную свою подругу? Комнату под крышей? Машину-капельку? Смотри, Финкель, доиграешься». — «Гур, — отвечает ликующий старик, не поддаваясь на уговоры. — Гур-Финкель...»

8

К вечеру они собираются на лестничной площадке.

Посипывает электрический чайник. Позвякивают ложки в стаканах. Похрустывает печенье в зубах у Ото-то. Реб Шулим пристраивается у двери с неотмоленной своей виной; не иначе принял обет промолчать до того дня, пока та, под камнем, его не простит.

Финкель начнет, задавая тему:

— Признаем с сожалением: мир не помягчел за прожитый день. Борьба не заканчивается, борьба на выживание. В разные времена разные ее виды. Кто не участвует, уходит в иные народы.

Ривка-страдалица подхватит:

— Амнон говорил: выйти из народа, что сбросить кожу. Выйти — не войти обратно.

Финкель возразит:

— Из еврейства нельзя выйти, даже окрестившись, обусурманившись, обратившись к дырникам, хлыстам, бегунам-скрытникам. Еврей остается евреем, но порой он мертвый еврей.

Реб Шулим, застенчивый молчальник, глотнет воду из бутылки, смоет слова, рвущиеся на волю: «В евреях родились, в них состарились, среди них похоронят — куда нам еще...»

Но разговору не состояться.

Дверь с треском раскрывается. Выскакивает из квартиры пышноусый обольститель Дрор, выходит следом тонконогая, тонкорукая девочка — юбочка выше колен, намного выше, смотрит на него влюбленно.

— Скажите ей! — кричит. — Пускай идет домой. К папе-маме!

— Между прочим, — отвечает. — Я взрослая. Мне скоро в армию. И папы у меня нет.

Держит за руку — не оторвать.

Она явилась к нему, не поладив с приятелем, — оживить сокрушенное сердце. Дрор взялся за дело, не подумав о последствиях; после третьего сеанса девочка раскрылась цветком, жаждущим опыления, и спустила с лестницы очередную бедняжку, чтобы никого больше не обольщал.

Личико лисье. Глазки косенькие. Колечко в носу. Под кофточкой проглядывают без стеснения остренькие грудки. Видит Аю на коленях у медведя, всплескивает руками:

— Купи мне такого!

Дрор возмущается:

— Видели? Она думает, что останется навсегда.

— Конечно, останусь. Я опытная, и у меня были мужчины.

— Опытная она... С прыщавыми недоростками.

Разъясняет собравшимся:

— Перед вами классический случай безотцовщины. Мать вырастила ее, одна мать; недостает отцовского тепла, и все чувства она перенесла на первого попавшегося мужчину. По случаю им оказался я, который ее притягивает.

— А то нет! — И руку не отпускает.

Обольститель возмущается:

— У меня же индивидуальный подход! Каждая полагает, что обожаю ее, только ее, оттого результаты хороши. А эта... Эта! — Дрор в отчаянии: — Сказала им, что люблю ее, а остальных терпеть не могу.

Девочка непоколебима:

— Так оно и есть. Ты меня любишь.

Дрор в рыданиях:

— С такими не живут! Таких удочеряют!..

Возражает независимо:

— Без моего согласия не удочеришь.

— Да от меня две клиентки ушли! Деньги потребовали обратно!

— Проживем без них.

— Ты, может, ребенок еще. В тюрьму пойду за совращение! В камеру!..

Смеется заливистым голоском:

— Буду навещать. Приносить передачи.

Выходит из квартиры кошка рыжее рыжего — передохнуть от сосунков, потягивается всем телом, у девочки загораются глаза:

— Ах, какая!.. Что бы и нам?

Дрор срывается в крик:

— Нет! Ни за что!.. Была, была у меня кошечка!.. Ее усыпили, мою красавицу. Видели бы вы глаза на прощание, молча, с упреком. Не хочу больше кошек, собак не хочу!..

— Чувствительный ты мой, — откликается девочка и встряхивает копной волос в полноте желаний.

— Не твой я, не твой! Брак, семья, деторождение мне чужды... Скажите ей!

Девочка изумляется:

— Какой брак? Какое деторождение?..

Ривка вздыхает в своей постели. Кто не побывал на их свадьбе, тот не видел настоящего веселья. Кто не ощутил потери в день смерти Амнона, тот не знает, что такое потеря. Никто не объявлял о прекращении работ, все и так прекратили. Никто не сообщал о времени похорон, все и так явились на кладбище, погоревать с Ривкой. Пришли те, кто жил по соседству, и те, кто знал о них понаслышке; было немало стариков, что отплясывали у них на свадьбе.

Дрор говорит соседям:

— Я занимаюсь этим не ради денег. Пусть будет их много, излеченных бедняжек, пусть вспоминают меня и оплакивают — так продлится мое существование на земле. После меня. Вместо меня.

Но девочка не сдается:

— Я буду вспоминать. Я и оплакивать.

Разглядывает ее, словно увидел впервые. Девочка, правда, хороша. Обаянием непомерным. Незапрятанным буйством чувств и поступков.

— Не вести же ее в постель...

— Почему бы и нет?

Спохватывается:

— Ни за что! Даже не знаю имени.

— Зачем тебе знать? Как хочешь, так называй.

Уводит его в квартиру. Плотно прикрывает дверь.

Слышно оттуда голосом побежденного:

— У меня и места мало...

— Поместимся.

— Я старый для тебя...

— В самый раз.

9

Спит Ая.

Посапывает Ото-то, ноги торчат из-под одеяла.

Ворочается в постели Ривка-страдалица, всплакивая сухими слезами. Сны позабыли про Ривку, и одни посчитали бы это наградой, а другие наказанием. «За что тебя так отличили?» — «За что так обделили?..»

Незабвенный друг окликает Финкеля, и они переговариваются через бездну, которую с земли не одолеть.

— Записывай, Финкель, пригодится для вымысла.

— Не жалко?

— Нет в небесах такого понятия. Отсутствует. Сердца не стынут, и чувства не воспламеняются.

Диктует:

— Возношусь без промедлений. Попадаю в нужное место. Встаю в очередь — конца не видно. Ангел топчется в воротах, унылый, раздражительный: сутки дежурит, трое отдыхает. Утомился от многолюдия и огорчительных обязанностей, от назойливых душ, которые размахивают наградными листами, дипломами, похвальными грамотами передовиков производства, выпрашивают место по заслугам.

— Неужто и там такое?

— Такое, Финкель. Такое. Только не перебивай... Ангел вдруг вспархивает, и что бы ты думал? Подлетает, целует с чувством, я даже опешил: «За что?» Отвечает: «Взгляни на этих, день ото дня прибывающих. Они неживые, Гоша, издавна неживые в дрёме-сытости, а похоронить — руки не доходили». — «Как же так?..» — «А так. Ленивцы! Все вокруг ленивцы оседлые, в гамаках провисающие, души протезные, дрянца с пыльцой, один ты, идущий среди стоящих, кожей по костям обтянутый. Выделенных выделяют, Гоша: за худобу твою, за неизбывное душевное ненасытство — проходи без очереди. Твои читатели уже здесь». Вхожу, осматриваюсь, и что бы ты думал? Они сюда перебрались, мои читатели, все до одного. Твои, кстати, тоже.

Финкель отвечает с сокрушением:

— А я-то думал: где они, куда подевались?..

Выходит на балкон, смотрит на город, щедро подсвеченный фонарями, на желтизну их свечения, черноту окоема за дальними холмами — не окунуться ли в синий дым Китая, где истаял незабвенный друг? Не пора ли ему на взлет?..

Затихший аэропорт притягивает истосковавшиеся души.

Насупившееся небо.

Комковатые облака над головой.

Редкие капли, пятнящие бетонную полосу.

Скучают строгие охранники, неприступные стюардессы не катят по залу чемоданы на колесиках, на табло с заманчивыми рейсами застывает надолго: «задерживается» и «отменяется», «отменяется» и «задерживается». Можно купить газету, выпить кофе и поменять валюту, взять напрокат автомобиль — взлететь нельзя.

Неприкаянные пассажиры бродят по опустевшим помещениям, взмывают на эскалаторах к верхним этажам, но потолки нависают над головами, не пропуская в заманчивые надземелья. Жаждущие перемен дремлют в креслах в ожидании рейса, который не предвидится; одурев от безделья, идут в туалеты, смачивают под краном помятые лица. Стеснительные, готовые извиниться за свое пребывание на свете, возвращаются по домам, снова забиваются под одеяло в догадках и сомнениях.

Сытый скажет мечтательно:

— При виде самолета в вышине возникает образ мимолетной птицы, устремленной к рассвету.

Голодный не согласится:

— А у меня возникает образ пассажира, которого кормят в полете.

10

Крадучись, он выходит из дома.

К последнему, должно быть, автобусу.

Тишь на улицах, блаженное безлюдье, ветры продувают город к приему нового дня, но нет легкости в движениях, спина не прогнута, ноги не упруги, живот не подтянут.

Женщина кланяется из будки старому знакомому:

— Не спится?

— А вам?

— Когда мне спать? Могут подойти, купить билет.

Выговаривается, изливая душу:

— Грозятся меня уволить.

— Это еще почему?

— Мало билетов продаю... А мне сыну надо помогать. Этого кормить, охламона. С которым не нажить богатства.

— Что сын делает?

— В армии. В каких-то частях, о которых не говорит. Вся извелась от страха.

Затруханный мужичок топчется под фонарем. Подтверждает, облизывая пересохшие губы:

— Я тоже извелся.

Вскидывается:

— Он извелся! Пил бы поменьше... — Снова к старому человеку, готовому выслушать и посочувствовать: — Сын у нас снайпер, за врагом охотится. Лежит в засаде, ждет, когда враг пройдет мимо. А человека убивать страшно, даже того, кто идет взрываться. На рынке или в автобусе.

— Страшно, — соглашается Финкель. — Еще как страшно.

— Вот и сын поначалу приходил веселый. «Ждал, — говорил, — полдня прождал, а его не было». Еще раз не было. И еще... Потом пришел, ничего не сказал. Значит, враг шел мимо — и не прошел. А сынок погрустнел, замолчал, сердце мое рвет.

— И мое, — подтверждает мужичок.

— Ты молчи! Нет у тебя сердца... Приходит домой, ест, спит, хмурится, как заходолел, — его бы отогреть, да он не отогревается. Наутро уходит, ружье уносит, рюкзак, себя уносит без жалости, будто навсегда. Господи, прошу по ночам, сделай так, чтобы дожил до моих похорон, хоть какой, хоть раненый, — сделай так, Господи!..

...и снова поспешная запись в ночи: «Я пацифист, — заявляет пацифист. — Ружье в руки не возьму. Гранату. В танк не полезу. В самолет-истребитель. В транспортный тоже не полезу, ежели перевозит оружие». Сели в кружок, стали обсуждать. «Я, может, тоже пацифист, но в армию хожу, в танке сижу, в атаку бегаю». — «Таков твой выбор». — «Мой выбор — эта земля, а он пусть уезжает, если пацифист. В Данию-Люксембург. Где никто никому не грозит. Живешь здесь — защищайся». — «Имеет право. На особое мнение». — «Что же получается? Ему — мнение, а моим детям кровь проливать? Пацифизм надо еще завоевать. С границами надежными. Соседями благодушными. Тогда и я пацифист». — «Какой же ты косный, слушать противно»...

Женщина в будке смахивает слезу платком, пальцами в облупленном маникюре перебирает лотерейные билеты, а Финкель ждет, ибо не всё еще выговорено. Так оно и есть.

— Тут место ненаживное. Кто купит эти проклятые билеты? Кому они нужны?.. — Грозит: — Ежели меня прогонят, я эту будку разломаю, так и знайте. Или сожгу.

— Она такая, — подтверждает мужичок. — Бензином обольет, и привет. У нее кровь горячая. От деда-цыгана.

— Не цыгана, — поправляет. — От деда-еврея.

— Один черт.

— Тебе всё один черт. А дед мой был книгочеем. Его до войны загнали на Алтай: тайга вокруг на сто верст, ссыльных полдеревни. Женился на бабке, обзывал ласково: «Ржаная моя...» — сразу началась первая дочь. Родилась первая — пошла вторая, за ней третья, мать моя.

— Ишь ты, — одобряет мужичок. — Знал свое дело.

— Конечно. Не чета тебе... Завели кур, корову, поросят, бабка пекла хлебы в печи, грибы солила в кадушках, дед стол сколотил — за ним ели, лежанки — на них спали. Слыл политиком, читал мужикам газеты, разъяснял передовицы, их скрытые угрозы. В большие праздники деревня гуляла неделю. Ходили по гостям из избы в избу, глушили самогон; грузин запевал «Сулико», украинец: «Взял бы я бандуру...», дед не отставал, пел в подпитии под гармонь: «А идише маме...» Деда сосной придавило, замерз в лесу; бабка сразу опростилась, деревня из нее полезла.

— Понял? — хвастается мужичок. — Баба моя, ну баба! Выездная по деду, и мы за ней... Купи билетик, чего тебе?

— Как это?

Женщина оживляется:

— Очень даже просто. Заплатите, заполните бланк, может, выиграете миллион.

— Или два, — добавляет мужичок. — А мне — бутылка.

Финкель достает деньги, покупает билеты и не остается на автобус до аэропорта. Не остается на взлет.

Птицы ворохнулись на ветке. В недоумении от содеянного:

— Му-зар, Пинкель... Му-зар-зар...

— Биль-буль, Пинкель... Биль-бубу-буль...

Неудачи — они старят.

Упущенное — стрелой из лука, не вернуть назад.

Две сосны на обратном пути, за низкой оградой, огромные, некогда могучие, заваливаются, изогнувшись, образуя совместно букву «самех». Финкель идет дальше, сосны с иного взгляда являют ему букву «аин», а на прощание, пока не свернул за угол, изгибаются буквой «реш», что совместно могло бы означать «взволноваться», «всколыхнуться», «разбушеваться». Удивляется старик опечаленный: «Учудил, Финкель, ну и учудил! Не разбежался, от земли не оторвался. Даже на вершок». Отвечает ликующий старик в надежде на скорые удачи: «Его ждут дома. Девочка Ая. Куда тут взлетать...»

Время позднее, но реб Шулим стынет на скамейке под апельсинами. Садится возле него, оглядывает дома напротив, рекламу на крыше: наглые буквы лезут в усталые глаза...

«...реб Шулим — пришелец. Из страны, где на слова ввели норму по месячным талонам. Получил, тут же использовал, замолчал до следующей порции, а там и отвык говорить. Но если отменят талоны, дозволят переговариваться без счета, реб Шулим, дитя дефицита, поинтересуется прежде всего: "Две фразы можно?"...»

Встает со скамейки:

— С вами было приятно помолчать.

Реб Шулим не отвечает, даже глазом не поводит. Остается в темноте под деревом, взывает без слов: «Мало хвалим друг друга, много ругаем! Где счастливые? Нет вокруг счастливых! Ради чего станем жить?..»

II

Снова она звонит. Словно старому знакомому, с которым недоговорено.

— Напомню. Если не возражаете.

— Нужно ли?

— Мне нужно.

Зачитывает:

— «...словно прибыло послание от далекого друга, готового на бумаге излить душу, передать на хранение в бережные руки...» Подставляйте ладони, сочинитель.

— Подставил.

Молчит. Собирается с силами.

— Летом, на даче, приходила на платформу, садилась на скамейку, ждала вечернего поезда. Он проскакивал на скорости, но я углядывала свет настольных ламп за занавесками, чьи-то силуэты: вот едут счастливые, самые счастливые люди на свете, едут туда, куда пожелают...

Вздыхает, как всхлипывает:

— Детство прошло на той даче. Возле текучей воды. А ее сожгли.

— Да что вы?

— Всё сожгли: мебель, альбомы с фотографиями, детские мои наряды. Сгорела даже книга «Верное средство познать себя и других».

Долгие раздумья. Потом говорит:

— Текучей воды не хватает. Черемухи с крыжовником, скворечника на шесте.

— Скворечник можно соорудить и тут.

— Хочу мой скворечник, который сожгли. С моими скворцами... Что вы смеетесь? Мне же некому рассказывать.

— Я не смеюсь.

— Приехала, побродила по пепелищу: была дача — нет дачи, обуглилась и скамейка у крыльца, на которой досиживала дни моя мама. Соседки суетились, охали: «Поплачь, милая, слезы зальют печаль», — не плакалось, сочинитель, нет, не плакалось...

Выволакивает себя на обозрение, гордая, в слабости не признающаяся:

— Было так безразлично, что даже испугалась. Пошла к психологу, призналась: «Тошно мне». Ответил: «Всем тошно». — «Я не все. У меня особый случай». — «Поверьте, — заявил. — У вас нет исключительного права на страдания...»

А гнус-человек, человек-озноб, которому нравится быть негодяем, пакостником нравится быть, оброс слухами на грани с ужасом, ибо родители его, истощившие силы от непомерного блуда, зачали ребенка с заранее необдуманными намерениями. Нос приплюснут. Ухо оттопырено. Запах недержания не выветрить. Светила поблекнут при его появлении, чашечки цветов затворятся в панике, осыплется пыльца у бабочек, народы вздрогнут от омерзения — не убежать на ватных ногах, попадают на лица свои и заледенеют.

Сунется в дверь липучая нечисть, аспид, змей-василиск, прищур его нестерпим, скажет: «У меня плохая наследственность. Любой суд оправдает», — апельсин вздрогнет на ветке, но не опадет пока что, нет, он не опадет. Продержится до завтра.

Заканчивается и этот день, который поманил зыбкой надеждой, способной ненадолго утишить, утолить ненадолго чьи-то ожидания...

ЧАСТЬ ШЕСТАЯ

ГОРОД БЛУЖДАЮЩИХ ДУШ

I

— Болею, Финкель, по-хорошему болею, — признавался на уходе незабвенный друг. — Посерьезнел, неспешно мыслю, подолгу смотрю на облака за окном, разглядываю то, что не доглядел прежде, мимо чего скользнул взглядом, жду, когда созреет строка-откровение, — если, конечно, сподоблюсь этому.

Дышал сипло, отдыхивал недужно в замирании чувств и поступков, прижав трубку ко рту, отрешенный, уже неподступный.

— Заботы отвращали, Финкель, всякие малости, а теперь, надо же, только теперь... Какие дни мне выделены! Самые последние, самые рас-пре-красные!.. Получил всё от жизни. Получаю от болезни. От смерти всё получу. И боли нет, нет, к счастью, боли...

Его перевозили из больницы в больницу, перекладывали с кровати на кровать в надежде на чудо-врача, чудо-эликсиры, просвечивали и прощупывали, прослушивали и простукивали, в редкие недели послаблений отпускали передохнуть, и он кричал через границы:

— Хожу по дому — не по палате! Дышу. Держу карандаш. Я снова молод, Финкель! Снова красив, черт возьми, сыт и весел. Люблю Машку по мере сил, а ведь худо было, ой как худо...

Опять попадал в больницу, печалился по телефону:

— Мудрость не в научных изысканиях, Финкель. Мудрость — в душевных накоплениях. Где спешащие на праздник, друг мой? Горб несем на себе. Горб несбывшегося.

Стоило бы его утешить, ссылаясь на достославные примеры, но на утешения друг не поддавался, тоску упрятывал в словесные утехи:

— Я, Финкель, не особо умный, зато угадчивый, углядчивый, по нужде уступчивый. Напишу рассказ, грустный, огорчительный, запрячу в глубинах стола. Захочется потосковать, выну его, прочитаю, слезу пролью с облегчением. А может, зарыдаю в голос.

— Красиво сказано, Гоша. Дай и мне опечалиться.

— Ни за что! Это будет мой, только мой рассказ! Который уничтожу перед смертью. И без того немало огорчений на свете....

...его мучила невысказанность коридора со многими клетушками, по которому катался на трехколесном велосипеде; тревожили приметы коммунального бытия, немота истлевших его обитателей, что жили и умирали в роскоши неведения, не догадываясь о скудости своего существования. Когда написал про них с симпатией, возвышающей жалостью, ему поверили сонмы ушедших, неопознанных, они ему доверились: «Шелапут, конечно, гуляка и насмешник, но этот упомянет, упомянет...»; затеснились, затолкались, чтобы успел рассказать о них, и о них, о каждом в отведенные ему сроки. Вокруг удивлялись, глаза округляли: откуда у выкормыша пуганых, неприметных служащих такие судьбы, характеры, откровения, откуда такой язык? — это они, ушедшие, нашептывали ему, они торопили, от их настырности секрет его плодовитости...

Получил — отработай.

А эти уже на подходе со своими соблазнами, льстивы, коварны и обольстительны:

— Гоша, глыбища ты наша! Все отражают, ты не отражаешь. Изобрази для газеты, к славному юбилею.

— Я не умею.

— Чего там уметь? Тара-тара, тара-тара, тара-тара юбилей...

Отвечал с тоской:

— У меня не получится.

— Не увиливай, Гоша. Чем ты лучше иных?

— Я не лучше. Я — иначе.

— Ты же наш, Гоша. Коренной. Не эти, которые пристяжные. Напиши — тебя приметят, учтут при распределении.

Оживлялся. Руки потирал в вожделении:

— Меня нанимают? За приличное вознаграждение? Выделят ли за это дополнительный день недели? Прибавят ли час в сутки? Задержат закаты для меня на пару мгновений?

— Дурак ты, Гоша.

— Кому-то надо быть дураком.

— Кому-то надо. Всё. Конец цитате.

Трубку кидали с треском, и он говорил раздумчиво:

— Мушиные игры. Суета сует и шелуха шелух… Мы гордые, Финкель. Аристократы духа, рыцари-гидальго, кавалергарды под перезвон шпор. Эти, увилистые, нам не по нраву.

А вокруг зависимые, а в душе завистливые, которые придут на помощь, если сочтут необходимым. Или не сочтут. Упрашивали его в суетном, натужливом дожитии, с несбыточной надеждой на бессмертие, ненавистники чужого слова, строки, абзаца:

— Гоша, ты многое повидал. И многих. Напиши, Гоша, о тех, что прошли мимо тебя, коснулись мимоходом, запали в памяти.

— Нет уж, — отвечал. — Воспоминания — жанр избранных, а также обделенных талантами или зажившихся на свете. Я себе заказал: не твое — не берись, даже не касайся. Да и нет у меня воспоминаний, одни ощущения, которые не увековечить.

— Недооцениваешь, Гоша, свое окружение. Недопонимаешь.

Бывало в добрые времена: щедрый покровитель, — тот, кто дает, не тот, кто берет, — усаживал за стол всякого голодного, шагнувшего за порог, кормил, ни о чем не спрашивал; этот стол шел на выделку гроба, и в нем хоронили милосердного человека. Стол, за которым столько продумано, достоин того, чтобы из него соорудили последнее пристанище для сочинителя, — Маша, жена его, не додумалась.

Не ворвется — дверь нараспашку, не закричит после первой рюмки:

— Нашел фотографию! На обложку! Хочешь, подарю?

— На обложку чего?

— Да хоть чего! Была бы обложка.

Не закричит перед второй:

— Закупаю! Тысячи! Своих книг! Загружаю в самолет, разбрасываю над обширными территориями. Книги в массы! Пусть заворачивают в них селедку!..

Не пропоет с чувством:

Каркнул ворон на березе...
Свистнул воин на коне...
И красотка погибает
В чужедальной стороне...

Упрашивал перед уходом, питаясь протертым супчиком и бессолевой кашей:

— Пожарь грибки, Маша. В сметане. С лучком. Как тогда.

— Где их взять, Гоша? Зима на дворе.

— Пожарь. Ну, пожарь! Хоть слюну сглотнуть...

2

Он просыпается под птичьи призывы:

— Кум, Пинкель... Кум-кум...

— Чик-чак, Пинкель... Чик-чак...

На окне, на тонкой леске, провисает граненый стеклянный шарик. Ая подвесила его тайком у дедушки, чтобы ранний рассветный луч раскидывал цветные побеги, затевал радужные игры по стенам: первая радость — каждому ли она к пробуждению?

Давно так долго не спал, разве что в безмятежную пору. Когда сны были легкие. Видения воздушные. Дыхание у плеча. Наряжалась к выходу, наводила красоту перед зеркалом, оглядывала себя с интересом: «Что есть, то есть. Другим и того не дано». — «Финкель, — поддразнивала, — меня приглашают в кафе. На свидание. Мужчина видный, не чета тебе». — «В чем же дело?» — «Пузо, Финкель. На восьмом месяце. Опростаюсь — схожу».

Открывает глаза, слышит пение за стеной, старательно, на два голоса: «Любимый город, синий дым Китая, знакомый дом, зеленый сад и нежный взгляд...» Голос у Аи хрупкий, ломкий, срывающийся на верхах, голос у Ото-то низкий, сиплый, будто из погнутой жестяной трубы. Тихо проходит на кухню, наливает в кастрюлю молоко, насыпает крупу, помешивая ложкой, — в каше не должно быть комочков.

Прибегает Ая, босиком, в пижаме:

— Каша! Ур-ра, манная!..

Завтракают они втроем.

Манная каша. Обжорное утро. Еды много, но Ото-то торопится, обжигаясь, заглатывает ее с вареньем, чтобы поскорее получить добавку. Финкель сообщает:

— Телефон был отключен, я проверял. Посреди ночи звонок. Голосок тоненький, жалостливый, дребезжанием монеты в стаканчике: «Собираем деньги для больных детей. Можете ли вы помочь?»

Ото-то изумляется до такой степени, что откладывает ложку:

— Телефон был...?

— Отключен.

— И ты... услышал?

— Дети, — разъясняет Финкель. — Больные. Вот они и пробились.

Фыркает старик опечаленный, угрюм, несговорчив: «Что ни придумаешь, Финкель, в какие игры ни сыграешь, от старости не уйти». — «Я не ухожу, — отвечает ликующий старик-потешник. — Живу, как можется. Чтобы хватило до конца дней». — «Кому оно удавалось, вечный младенец?..» И вот еще что: чем старше становишься, тем чаще говоришь неправду, бесстыдно, изобретательно, с убедительной интонацией, чтобы не застигли врасплох со своим приглашением, иначе придется идти в гости, высиживать в тоске за чьим-то столом, есть-пить, вымучивать пустые слова. «Ты очерствел, мой сожитель». — «Ты не очерствел».

Доедают кашу. Пьют чай из цветастых чашек, которые мама Кира купила на севере Италии, в городе Барберино-ди-Муджелло, — одно название подвигает завистливых подруг на судорожные передвижения в запредельных пространствах.

— Чего бы мне хотелось... — говорит Ая. — Прежде всего. Уйти далеко-далеко, всё увидеть и вернуться назад.

— Мы с тобой, — напрашивается Финкель. — И мы! По путям, еще не затоптанным. Туда, где находкам нет конца.

— И потерям?

— И потерям, моя хорошая...

...в заземелье, на край ночи, через вершины и глубокие провалы, по муравьиным тропам, что не значатся на карте, огородившись от мира закруглениями географии, куда многие ходили, но никто пока не возвращался. Путь долог туда, путь не в тягость, где небо вливается в океан — синь с просинью, теплые дожди к рассвету, радуга утыкается в бугорок на пути. Вознестись без боязни по ее крутизне: хочешь по желтой, хочешь по зеленой, голубой, синей, фиолетовой; оседлать кучевое облако, поплыть неспешно за пределы мечтаний — всякому бы так...

— Чего бы мне хотелось... — говорит Ото-то. — Прежде всего. Найти клад с золотыми монетами.

— Зачем тебе клад?

— Хане отдать. Чтобы не беспокоилась о завтрашнем дне. Тогда обо мне подумает.

Они изумляются, когда он произносит нечто неожиданное, наполненное смыслом, и Ото-то говорит с надеждой:

— Волосы мои растут. Ногти удлиняются. Голова умнеет...

Загогочут в ответ насмешники, захихикают смешливые поганцы — мужчина с несовершенным разумом побежит домой, заляжет на кровати, которая ему мала, накроется с головой маминым одеялом, чтобы в смятении заспать обиду.

— Чего бы мне хотелось... — говорит дедушка, а чего бы ему хотелось, не говорит.

Убирают со стола.

Моют посуду.

Наливают молоко для кошки.

Бублик обходит хозяина стороной, ревнуя к котятам; Финкель берет в ладони его голову, убеждает проникновенно, нос к носу:

— Я же тебя люблю! Одного тебя, ты мой единственный! А эту мяукалку с хныкалками терпеть не могу. Кто их привел сюда? Кому они нужны?..

Бублик смотрит ему в глаза, считывая истинные поползновения, хвостом махать не торопится. «Сегодня накормят, — размышляет, должно быть, Бублик, — завтра передумают и выгонят на улицу. Где страховые компании? Где социальное обеспечение и где мы? Кто обеспечит собакам прожиточный минимум? Развесить плакаты, выйти на демонстрации, провести в парламент своих представителей, да разве они допустят?..»

Ая тоже ревнует дедушку. Но не к кошке, Ая ревнует не к кошке: «Ты ее выдумал, де-душ-ка? Ту, к которой поспешаешь?..» Лишь ушедшая до срока не проявляет этих чувств, нет, она их не проявляет: ревность не востребована в небесах.

3

Такое случается на каждой почти неделе.

Финкель и Ото-то выходят на осмотр улиц, дворов, закоулков, чтобы подобрать накопившийся хлам.

Старый человек несет палку с железным наконечником, нанизывает на острие рекламные листки, ошметки газет, обертки от шоколада-мороженого, прочую бумажную мерзость, затаившуюся в кустах, складывает в пакеты, а Ото-то относит их в мусорные баки.

«Хватит уже! — выговаривает мама Кира. — Научись уважать себя. Хоть на старости». Отвечает молча, отвечает каждому: «Чрезмерное уважение к себе вытесняет уважение к другим». Добавляет не для всякого восприятия: «Излишнее почтение к собственной персоне скрывает, быть может, некий порок, таящийся в сознании человека или целого народа».

Девочки сидят рядком, воробышками на бортике тротуара, взглядывают снизу вверх, прыская в кулачки. Всем знаком по округе тихий мужчина преклонного возраста и несуразный верзила, опасливо ступающий с тротуара на мостовую. Финкель его оберегает, ограждая от неудобств; когда переходят улицу со многими машинами, старый берет молодого за руку, а тот конфузится и бормочет:

— Ты что… Я сам. Сам…

— Не я веду тебя, — успокаивает Финкель, правдоподобно прихрамывая, — ты меня.

У Ото-то давняя привычка — выискивать среди мусора конверты с посланиями, прикладывать к глазам для прочтения: не отец ли с матерью отправляют наставления сыну, который сумел их пережить? Повсюду, по дворам-улицам-газонам, раскиданы невостребованные письма с родительскими советами, посланные для скорого остережения, что беспокоит мужчину, горестно-сокрушенного.

— Финкель, ты вдумчивый?

— Не сказал бы.

— А я?

— Ты вдумчивый, — уверяет Финкель. — Ты и отзывчивый.

Улица заканчивается спуском в овраг, склон которого усеян мешками из-под цемента, ржавыми бочками, битыми бетонными плитами, останками негодных кроватей, скинутых за ненадобностью. Туда Финкелю не добраться, тот завал ему не по силам, что обижает и раздражает сверх меры.

— Не смотри в ту сторону, — бурчит сердито. — Не надо!

И они проходят, отвернув головы.

Катит мимо машина для сбора мусора. Шофер гудит, их приветствуя, мужчины в спецовках, пристроившись сзади, кричат напористо:

— Давай к нам! На подмогу!

Уносятся вдаль, словно на запятках кареты, ловкие, ладные, выпевают под шум колес: «Из окон корочкой несет поджаристой, за занавесками — мельканье рук...»

— «...здесь остановки нет, — продолжает Финкель, загрустив без причины, — а мне пожалуйста...»

Встают у распахнутых дверей.

Смотрят завистливо.

Автомобили на подъемниках. Коробки с запасными частями. Инструменты на стене в строгом порядке. Пошумливает с отсечками насос, нагнетая сжатый воздух. Погуживает вентилятор. Работают несуетливо Йоси, Узи и Рафи с уважением к себе и к своим клиентам. Видно, что свыклись с давних времен, обо всем переговорили, без слов понимают друг друга.

Финкеля называют почтительно: доктор.

— Доктор, когда купишь машину? Мы бы ее чинили. Со скидкой.

— Я не доктор, — отвечает в который раз. — И машины у меня не будет.

— Для нас ты доктор. Чего не приходишь? Скучаем без тебя. Без друга твоего скучаем.

— А мы-то... — вспыхивает Ото-то. — Мы тоже!

Дергает Финкеля за руку, тянет за собой — не отказать:

— Пойдем. Купим. Как тогда.

Идут в магазин. Ото-то поторапливает:

— Йоси любит с маком. Узи — с яблоками. И я... С маком. Яблоками.

Возвращаются назад с пакетами, выкладывают содержимое на стол, устраиваются на продавленном диване, на клеенчатой его обивке, сидят столько, сколько сидится, пьют чай, едят булочки. С маком, яблоками, сладким заварным кремом.

У механиков нет перерыва. Йоси, Узи и Рафи подхватывают булочки на ходу, прихлебывают кофе.

— Доктор, — спрашивает Узи, колдуя над мотором. — Не обидно стареть?

— Когда как.

— Тебе немало лет, доктор. По виду не дашь.

— Я и сам не возьму.

Улыбается Йоси. Улыбаются Узи и Рафи.

— О чем мечтают на старости, доктор?

— О многом. О разном.

— И я, — бормочет Ото-то, во рту непрожеванная булочка. — О многом...

— Состариться на твой манер, доктор, — вот бы научил.

Высоченные потолки. Крашеные стены — белилами по кирпичу. Колышется флаг под вентилятором. Слышна музыка из запыленного музыкального агрегата.

— Не уважаешь восточные мелодии, доктор.

— Уважаю. Только тихие.

Финкелю хорошо с ними. Приходит в гараж, пьет чай, слушает постукивания насоса, нагнетающего сжатый воздух.

— Доктор, ты многое повидал. Расскажи, не всё же в себе таить.

Откровение следует за откровением. И где? В гараже. На продавленном диване. За чаем с булочками. Рядом с Ото-то, который их подъедает.

— В детстве моем. Была передача на радио. Про белого пуделя, которого захватили недобрые люди, а мальчик отправился его вызволять. В этом месте музыка нагнетала такой страх, что я отключал радио. Не раз слушал и всегда прерывал, чтобы включить заново, когда мальчик убегал с пуделем и я радовался...

Изумляется на виду у всех:

— Надо же! Пережили голод, войну с бомбежками, а передача пугала...

Кивают с пониманием Узи и Рафи. Интересуется Йоси:

— Что с идеалами, доктор? Из тех, из прежних?

— Кое-какие сохранились. Но не все, нет, не все.

Молчит. Вздыхает. Ерошит в раздумье волосы:

— Перестаю доверять себе. Накопленному опыту. Убеждениям с привычками. И не измениться уже, мир не изменить по своим представлениям — к счастью, быть может.

— Кому тогда доверять, доктор, если не себе?

— Этого я не знаю.

Узи у них мыслитель — всякому известно. Узи произносит с натугой, отворачивая прикипевшую гайку:

— Тебе никто не нужен, доктор. Так не годится. Всех отбросишь, с кем останешься?

— Мне нужны многие.

— На расстоянии, доктор. На расстоянии.

Думает. Сразу не соглашается:

— Это так и это не так...

Мир Финкеля, привычный, обжитой, покрывается трещинками наподобие фарфоровой чашки, доставшейся по наследству. Его дед родился при конной тяге и дожил до машин-паровозов. Его отец пользовался трамваями-автобусами, к которым привык без труда. Дожить бы свой век с вертолетами-самолетами, но эти, но электронные чудища, мельчающие и мельчающие, стремительно заползающие в дом, в карман, в ухо, разбухающие от неисчислимых сведений, — как к ним приноровиться?

Огорчается ликующий старик, неспособный угнаться за технологическим буйством; сокрушается старик опечаленный, за уши втянутый в иное столетие: «Это не мой век! Не мой!..» До многого он, конечно, не доживет, но и без того придумано све́рх меры. Собирают нечто электронное, память которого поначалу пуста. Голый мозг без единого понятия, даже еще не дурачок. Кто способен выучить его? Кому довериться?..

Добром не заканчивается многое, что начиналось добром. Знакомятся на экране, встречаются на экране — скоро появится электронная семейная жизнь по переписке, без прикосновений души и тела, без томления, стона обладания. Ответила бы мама Кира, сладко потягиваясь, блузка затрещит на могучей груди: «Господи, хорошо-то станет! Close — и нет его. Open — и выбирай любого...» Ответил бы папа Додик, снисходительно поглядывая на дедушку: «То ли еще будет...»

4

Старый человек бредет стороной по рыжему гравию, дохаживая дни свои.

На шее провисает ключ на шнурке — приметой его забывчивости.

На лице проступают годы — узника биографии.

Зубы стальные. Щеки проваленные. Морщины иссечены жгучими ветрами. Голова опущена, руки обвисают, линялые носки в цветную полоску выглядывают из сандалет, стираная ковбойка с засученными рукавами выдает место прежнего обитания.

Встает у дверей гаража, приваливается к косяку, опадая телом, словно скрытый недуг тянет его к земле, пропитанной отработанными маслами. По подтекам черноты передвигаются муравьи — стоит только приглядеться, и ликующий старик обеспокоится: «Они выбрали плохое место для проживания». — «Они не выбирали, — ответит старик опечаленный. — Они тут родились».

— Здравия вам желаем! — приветствует Финкель.

Старый человек глухо отзывается:

— Чего желаете?

— Здравия.

— Садись, — взывает жалостливый Ото-то. — Вот же диван. Вот.

Взглядывает притухшими глазами:

— Сяду — не встану.

Была война — он воевал, была тюрьма — он сидел. Расшевелить — выдавит из осмоленной махрой, морозами прихваченной гортани:

— Свет велик, а в нем тесно. Одно слово — бессортирье...

Нара является ему во снах, вонючая параша на виду у всех, бессортирье долгой неволи под блатное блекотанье: «Сижу я в Таганке, как в консервной банке. За дверью гуляет вертухай...» А за стеной снег, пурга, мрак и заносы, где злобятся собаки с конвоирами, конники

291

на скакунах — клыками, каблуками, копытами у лица, а он перелеском, а ему отголоском: «Будем брать... Брать будем...» Старый человек опасается сновидений, куда без стеснений вламывается барачное прошлое, кумачовый призыв на вахте, — книги напоминают ему об этом, дотошные передачи по телевизору, неуемные расспросы. Пусть позабудут про ту парашу, пусть все: лучше конечный ужас, чем ужас без конца.

Узи, Йоси и Рафи улыбаются старому человеку. Называют без иронии: ребе.

— Вот кофе, ребе, вот булочки. Угощайся.

Ото-то беспокоит появление лишнего едока, а потому торопится, опустошая пакеты, крошки рассыпает по дивану.

Спрашивает Йоси, снимая колесо:

— За кого будем голосовать, ребе?

Отвечает замедленно, слова выталкивая наружу:

— Трудно сказать. Может, не пойду. На этот раз.

Поворачивают к нему головы:

— За других спрячешься? За наши спины?

— Станешь потом говорить: это они выбирали, это не я?..

У старого человека свой опыт. Его настораживают деятели с неуемной жаждой возвышения, которые вещают: «Я знаю, что надо делать». Лишенный сомнений — опасен; принятие на себя ответственности может обернуться высшей степенью безответственности.

Йоси это не нравится:

— Ты, может, прав, ребе, но и другие не всегда ошибаются.

Добавляет Узи из-под днища машины:

— Ты, ребе, давно не тамошний. Обитание твое здесь, до последнего вдоха — придется выбирать.

А Рафи слушает их разговоры, хмурится или улыбается на свое усмотрение. Рафи у них молчун: меньше говоришь — реже ошибаешься.

— Это про нас сказано, — изрекает вдруг Рафи. — «В те дни не было царя у Израиля; каждый делал то, что ему нравилось...»

Затихают, обдумывая его слова, и Узи говорит:

— Дом наш — машина на ходу. Поменять резину, чтобы устойчивее на поворотах, заменить глушитель, чтобы не шуметь без толку, отрегулировать подачу топлива — и двигайся дальше.

Йоси тоже не молчит:

— Раз суждено воевать, слава Богу, мы не в проигрыше.

Ото-то заглядывает в пустые пакеты, высыпает на ладонь крошки, шумно вздыхает:

— Пошли, Финкель.

5

Прощаются с Узи, прощаются с Йоси и Рафи.

Шагают по улице, приноравливаются к валкому шагу старого человека.

Вырывался оттуда с трудом, с унижениями, даже здесь вздрагивал от всякой машины у тротуара, где затаились тени, надзирающие с прежних времен. Через пару лет попал в Италию, на стыке с Австрией, перешел через границу, купил пиво, неспешно вернулся обратно. Полицейский улыбнулся старому лагернику, он улыбнулся в ответ, тогда и догадался: срок закончился, закончилось его утеснение. Только с едой что делать? С полными, доверху, вместительными тарелками, куда набирает жадно, поспешно, чтобы после пары ложек отвалиться от стола с резью в животе, глядеть с тоской на нетронутое изобилие, которое изголодавшийся не в состоянии потребить?..

«Не надо меня жалеть. Не надо! Бог не поменяет прошлое. И не проси».

Непослушными пальцами выковыривает сигарету из пачки, огонек упрятывает в глубинах ладоней, взглядывает из-под заросших бровей:

— Мы разве знакомы?..

Они встречались прежде, когда старый человек был не таким еще старым, без провалов памяти. «Меня, — говорил, — отыщете по следу. По пластинкам от таблеток с прорванными ячейками».

Это он показывал Финкелю клад отлетевших времен, значки «Ворошиловский стрелок», «МОПР», «ГТО», «БГТО» и «Осоавиахим», «Воинствующий безбожник» и «Отличный административный работник», эмалевый пионерский призыв «Будь готов!», прочее разное, запрятанное до случая, когда вновь призовут к ответу: «Будь готов!» — «Всегда готов!»

— К чему? — спрашивал Финкель, охотник за случаем.

— Ко всему, — отвечал кратко...

...заново утвердится трибуна на возвышении, стол под красным сукном, графин с водой, карандаши с блокнотами, микрофон с лампочкой подсветки, — глаза разгорятся у честолюбцев на сладостный раздражитель, старческий ареопаг с портретов, Виссарионычи иных времен, Ефремычи, Павлычи, Михалычи-Моисеичи взглянут на мир булавочным зрачком снайпера, пули которого не избежать. Вновь соблазнят мечтателей. Изведут утешителей. Накопят про запас неразумную злость. Не порадуются удачам других народов, порадуются их бедам, продвигаясь верным путем в неверную сторону, свободу-равенство-братство поменяв на надежно-выгодно-удобно, пророков на референтов, ясновидящих на всезнающих, что вызовет позывы к призы-

295

вам и призывы к позывам. «Не могу больше, — пискнет некто надежно упрятанный. — Хоть бы две партии было...» — «Ничего себе, — пискнут в ответ. — Куда нам две? Два обкома. Два райкома. Два парткома. От одной партии — не продохнуть...»

Протрубят в большой рог в конце дней, поднимутся шеренгами из сгинувших захоронений, отпахнут глаза в провалах глазниц, обрастут плотью, ступят тяжко нерасхоженной поступью, выхаркнут слово, вбитое в глотку, — кого призовут к ответу Homo Подследственные, Homo Подневольные, Homo Обреченные на забвение?.. А в том, в бывшем его обитании стоит на Арбате Ильич в пиджачке и кепке, будто сбежал из Мавзолея, фотографируется за плату с желающими. Прохожие кричат: «Ильич, эй, Ильич, на субботник собрался?» Возглашает в ответ, не выходя из образа: «Товагищи, все на Деникина!» Ради этого годы загублены? Неужто ради этого от звонка до звонка?..

— Деточка, — говорила бабушка Хая по схожему поводу. — Пощечина человеку — пощечина Богу. Твоя очередь помнить об этом.

А папа с мамой гуляют по старинному городу Ла-Валлетта, запоминают подробности, чтобы по возвращении поразить приятелей. «Слушайте! Такое! Выходим мы из отеля в восемь утра...» — «В девять», — поправит папа Додик.

«В восемь. Максимум в восемь двадцать». — «Вечно ты возражаешь! Выходим мы из отеля в девять утра, поворачиваем направо...» — «Налево», — перебьет мама Кира. «Направо». — «Хорошо, направо. Но повернули-то мы налево». — «Поворачиваем направо, — заупрямится папа Додик, — видим толпу. Человек двадцать». — «Восемь», — уточнит мама Кира. «Двадцать — двадцать пять». — «Восемь. Максимум девять. Стоят, задрав головы, смотрят на облака...» — «Не на облака, а на крышу церкви». — «Церковь на соседней улице». — «На соседней — казино». — «Не спорь!» — «Ты не спорь!» Приятели закричат в нетерпении: «Что же вы там увидели? Что?!» — «Где?» — спросят они...

6

Есть люди, которым не помешает немного печали.

Не всем, конечно, не всем.

Девочка Ая, чуткое создание, прибегает к нему, ныряет под одеяло, заглядывает в глаза:

— Тебе грустно, де-душ-ка?

И носом. В выемку над ключицей. В трепетание ресниц по щеке.

— Де-душ-ка... Бывает кенгуру с двумя карманами? Спереди и сзади?

— Зачем, моя хорошая?

— Для близнецов. Чтобы не тесно.

Финкель улыбается. Ая хлопает в ладоши:

— Тебе, де-душ-ка, весело?..

Спит Ая в его кровати.

Спят птицы за окном.

Финкель прокладывает привычную тропку по беленому потолку.

Снова проявляется незабвенный друг. Голосом из невозможной дали:

— Не пользуйся выверенным сюжетом, Финкель. Чтобы не по размеченной полосе, где всё обозначено, не в пункт Б из пункта А, — пусть нечаянность подстерегает на каждой строке, всякая невозможность. Это труднее, но сколько зато нежданных случайностей! До чего их недостает...

И вот сон притекает через замочную скважину...

...сон, блажь наяву, блики на потолке...

...а сочинителю пригодится — строкой на листе.

Она попадает в беду, тайная его подруга.

В боль неотступную, из которой не выбраться.

Седоголовый мужчина кружит по коридорам, набираясь решимости, чтобы подойти к дежурной за стойкой, высказать слова, заранее уложенные в мольбу:

— В вашем отделении лежит женщина. Можно ее навестить?

В палате муж, дети, чужих не пускают.

— Вы кто ей будете?..

Имя больницы «Врата справедливости» — где они, эти врата, для кого? «Уложите меня на каталку, обклейте датчиками, просветите рентгеном, чтобы выявить уровень смятения в душе, меру тоски на сердце, которая зашкаливает, бездонность отчаяния в почках и печени...»

Санитарка в зеленом халате — только что из операционной — сутулится у окна на лестнице, курит жадно, смахивает редкую слезу:

— Никак к смерти не привыкну...

«И я, — молча соглашается седоголовый. — И я...»

На улице, у входной двери, постелен на асфальте картон, располагается на нем не старая еще женщина, стоит стаканчик с подношениями. Выговаривает кому-то по телефону, а он слышит, не слушая:

— Свари сосиски, накорми ее, перестели постель, спать уложи в пижаме, которая постирана, посуду помой, прибери в комнатах...

Спрашивает посреди разговора:

— Плохо тебе?

— Плохо, — соглашается.

— Погоди.

Заканчивает наставления:

— Сбегай в магазин, пока она спит, купи картошку по три двадцать, лук за два девяносто, курицу по четырнадцать семьдесят за килограмм — вернусь, обед сготовлю на завтра. Всё. Отключаюсь.

Объясняет:

— Муж сидит с внучкой. Дочка укатила с приятелем. Одна я добытчица.

Седоголовый интересуется:

— Почему так точно? Два девяносто, три двадцать?

Отвечает несмышленому:

— Беднота не округляет цифры.

И без перехода:

— Кто у тебя там? Жена? Дети?

Седоголовый молчит.

— Понятно. Я тут, у больницы, не первый день. Всего насмотрелась. Всё знаю-понимаю. Ей плохо?

Повторяет покорно:

— Плохо.

— Очень плохо?

— Очень.

— Позвони. Скажи слово нужное.

— Она не отвечает.

Дает свой телефон:

— По моему ответит.

Слабый голос:

— Алло...

Говорит торопливо:

— Прости, но это я... Я это! Не уходи! Только не уходи от нас! От меня!..

Голос ее дрожит. Подрагивает, видно, телефонная трубка.

— Ошиблись номером, — объясняет кому-то и отключается, а он выговаривает и выговаривает важные, нужные слова, выкладывая себя на обозрение.

Женщина на картоне смотрит участливо:

— Протяни руку.

Протягивает.

— Не так. Нищие протягивают не так.

— Я не нищий.

— Ты несчастный. Что одно и то же. Сложи ладонь ковшиком. Загляни прохожему в глаза. Пройди через стыд-унижение — и полегчает.

Берет монету из стаканчика, кладет ему в ладонь.

— Худо тебе?

— Худо.

— Терпи.

И день. И неделю. И невыносимо...

Маяться возле телефона. Брать трубку, класть на место, просить молча, умоляюще: «Позвони, ну позвони! Верни мне меня...» В чудо нельзя поверить, но хочется на него рассчитывать. И раздается звонок:

— Забери меня.

— Невозможно... — бормочет. — Невозможно...

Бежит.

Едет.

Снова бежит.

«Кто так торопится? — изумляется старик опечаленный, сумрачен и невзрачен. — И куда? В его-то, в его-то годы! Будто сорвался с предохранителя...» — «Тебе не понять, — отвечает ликующий старик, горяч и задирист. — Не окукливайся, Финкель. Не огораживайся от излишнего. Слова, чувства твои ждут огласовки. Наступило время взламывать сюжеты...»

Подступает час в ночи озарений, чтобы отправиться в город, ускользающий от пришельца, познать неведомое и после многих превратностей, поражающих воображение, вернуться назад целым и невредимым...

7

— Уведи, — просит. — Уведи в свое прошлое, подальше от привычных обыкновений, выкажи мне неведомое. Здесь родилась, выросла, полюбила — город тебе откроется.

Слушает, склонив голову. Волосы падают на лицо, закрывая глаза. Берет за руку, тайная его подруга, ведет за собой.

Идут долго.

Идут в гору, одолевая затяжной подъем.

Туда, где раскинулись улицы, подсвеченные фонарями, стены, оглаженные руками, тротуары ее шагов, звуков, запахов, неуловимые, изменчивые, ускользающие от пришельца. Поспешают следом Риш и Руш с луками наготове, способные охранить и уберечь; наконечники стрел напитаны ядом сожалений.

«...жизнь сюжетная — разве мы проживаем такую? Будущее поджидает в россыпи неожиданностей. Случайности — путь в будущее. Оно в нас, с нами, без нас нет его; мы пронизываем его никчемными на вид встречами, словами, поступками, как капилляры пронизывают листок на ветке, даже самый отдаленный, поставляя соки для роста или гибель от усыхания. И на каждом повороте к будущему поджидает некто, мудрый, терпеливый, снисходительный к сомнениям и ошибкам, что предоставит свободу выбора, определенную заранее, с теми случайностями, которых не избежать...»

Лисичка — мелкая, тощая, сероватая — суетливо перебегает дорогу, чтобы прошуршать по кустам до крайних домов, подобрать остатки еды возле мусорных баков, снова упрятаться в узкой земляной норе.

Выныривает из придорожного мрака седок на мотоцикле, руку поднимает для приветствия. Под каской лица не разобрать, лишь борода выбивается наружу кустистой проседью, глаза посверкивают непримиримо. Мотоцикл старый, глушитель с изъянами, треск невозможный, затыкающий уши. Говорит, каску не снимая:

— Кто таков, случайный человек?

Финкелю подобное не по нраву:

— Я не случайный.

— Не смеши меня.

— Тридцать здешних лет. В стараниях прижиться, поверьте, в неусыпных стараниях.

— Нет и нет.

Огорчается:

— Как же так?

— Вот так. С виду богатый, а живешь победному. Могу дать совет, очень даже неплохой. Указать путь во всеобщем замешательстве.

— Надо отвечать? — спрашивает у подруги.

Кивает головой.

— Слушаем вас.

— Подумайте о потомках, шествующие во тьму! О потомках хотя бы подумайте, с небрежением живущие! Чтобы не оказаться в презрении веков. Вам понятно?

— Нет, — отвечает Финкель. — Нам непонятно.

Он уже неистов. Неистов его мотоцикл.

— Взгляните на ваши тела: они отбрасывают не свои тени! Взгляните на ваши души: они потерты от небрежного обращения! По бурелому путь ваш лежит, по тропе заблуждений, но прогремит поверху трубой архангельской, пронзит в укоризне перстом обличающим: «Эй, вы, человеки! Разум истлеваете, да?» Признаете без утайки, куда вам деваться: «Разум, да-да-да». Разверзнутся источники великой пучины, воздвигнется столп с моря, вспенятся волны — так это будет, и глаза ваши ослепнут, крик заглохнет, уши зальет водой.

— Что предлагаете? — интересуется Финкель.

— Выбрасывайте записные книжки! Рвите календари, в которых помечаете неотложные свои дела! Обещаете? Нет, вы мне обещаете?

— Обещаем. Завтра же начнем. Но зачем это нужно?

— Затем, — поясняет деловито, обстоятельно, как на счетах отщелкивает. — Чтобы настольный календарь не попал по случаю к потомкам, обратившись в исторический документ. Чтобы по записям случайных встреч и скудных развлечений, хождений к парикмахерам, на футбол и в гости не определилось отношение к этому времени. Раскопают через века ваши слои и возопят, обзавидовавшись: «Господи! До чего заманчиво они жили! С книгами. Музыкой-живописью. С тихими восклицаниями, созерцательным состоянием души...» Пусть потомки вам позавидуют, про теперешнее не догадываясь, пусть — все!

— Пусть! — повторяет Финкель с энтузиазмом и пожимает ему руку.

Начинается то, ради чего стоило выйти из дома в неурочный час, — это подбадривает.

Ревет мотоцикл. Трещит его глушитель.

— Сняли бы каску, — просит Финкель. — Взглянуть на вас.

— Незачем. Пока незачем.

Укатывает за угол, обванивая окрестности.

— Кто он?

— Обличитель, — отвечает тайная подруга. — С детских моих лет. Ездит на мотоцикле, увещевает-остерегает.

Финкель произносит задумчиво:

— Не люблю соглашаться с предсказателями, но, к сожалению, он прав.

А из-за угла отдаленным эхом:

— Не надо. Не соглашайся. Но подвига тебе не учинить...

8

Идут дальше.

Подъем становится круче, дыхание чаще.

Редкие машины высвечивают фарами одинокую пару.

Входят в город, странниками шагают по улице, которая в дневное время называется улица Яффо, а в ночное — иначе. Подступает час потаенных видений; бродят по тротуарам неприкаянные полуночники в поисках собеседника, вслушиваются в тишину запустения и уходят во мрак, чтобы не возвращаться. Есть и постоянные посетители этих мест, но они неприметны.

Тяжкий рык грузного зверя. Взвизг с отдаления немощного существа. Трубные жалобы узника на судьбу свою.

— Что это?

— Звери. В зоопарке. У них бессонница.

— Здесь нет зоопарка.

— Здесь он был.

Киоск, который давно снесли. Продавец газет, оплаканный и забытый. Выкликает заголовки отдаленной давности, привлекая тех, кто живет героическим прошлым и не желает возвращаться в настоящее:

— «Кнессет и правительство переезжают в Иерусалим», «Американцы взорвали первую водородную бомбу», «Россия прервала отношения с Израилем», «Следы убийц ведут в Иорданию»...

— Купить газету? — спрашивает.

— Как же ты купишь? У тебя и денег тех нет.

Идут дальше, а из киоска доносится:

— «Конец Сталина», «Последние часы Альберта Эйнштейна»...

Ветер гоняет по асфальту прозрачные пакеты; самые отчаянные из них лихо взмывают к небесам, с шуршанием уносятся за крыши. Подруга уводит его в переулки, которые не обнаружить при свете дня, где дома отбрасывают тени давних строений, разобранных за ненадобностью. Тени — заложниками внутри домов, неприметными ликами за стеклом: упорядоченные и с небрежением живущие, преданные нечистоте и прильнувшие к источнику, ищущие, обретающие и теряющие.

Подкатывает, отдуваясь, запоздалый автобус, редкие пассажиры разбегаются по переулкам, но притулилась женщина у запыленного окна, смотрит наружу, как потерявшаяся, которую некому отыскать.

— Госпожа, — окликает водитель. — Приехали.

Сторожко ставит ногу на тротуар, делает пару шагов по асфальту, словно по топкому болоту, — седая, встрепанная, растерявшая себя и головные шпильки. Влипает в стены от страха, вскрикивает на чужом языке:

— Они здесь! Здесь! Накопились в веках! Надышанно — не протолкнуться...

— Ты ее знаешь? — спрашивает Финкель.

— Ее все знают, — отвечает подруга, — отбилась от своих. Группа ушла, уехала, улетела, а эта затерялась.

— Имя у нее есть?

— Имени у нее нет. Пророчица Дебора, царица Эстер, Мария Магдалина — она еще не решила.

— Помочь можно?

— Помочь нельзя. Ей хорошо оттого, что ей плохо.

Подбегает к ним, хватает за руки, зрачки расширены, словно в глаза закапали атропин:

— Они тут! Плотно. Густо. Притянули — не отпускают...

Бежит прочь вслед за тенью, подпрыгивая, взмахивая руками, — взлететь не в силах.

Обвисает памятная доска у подъезда: «Здесь жили взрослые и дети, которые были счастливы в этом доме». Финкель возгорается сверх меры: шагнуть в подъезд, внедриться в чьи-то воспоминания, отбросить не свою тень — худо ли?

— Постучим. Войдём. Выясним подробности.

— Пробовали до нас. Не отвечают.

— Может, нет никого?

— Дома они, дома, но двери не открывают.

А изнутри требовательно и сурово:

— Стоять! Ни с места!

Финкель спрашивает:

— Там кто?

Тайная подруга отвечает:

— Которые были счастливы в этом доме.

Старики окопались в подъезде. Тени стариков, высматривающих из укрытий. Наследники пускают по ветру достояние дедов, отдают на растерзание с извращением, а они держат оборону, лязгают тугими затворами: дом, вчерашний день не отдадут без боя.

— Кто такие?

Финкель отвечает:

— Мы.

— Чего надо?

— Интересуемся. Отчего были счастливы и как.

Обрывают без симпатии:

— Чужую тень — всякий бы пожелал. Чем по миру шататься, держался бы за свое.

— Свое не уберегли. Беспамятство. Дикое поле. Полынь и бурьян.

— Мы зато — тутошние. Вчерашние. Всегдашние. Мы убережем. А эти, которые в будущем, пускай сами о себе озаботятся.

Финкель убеждает без успеха:

— Это же очень важно. Ваше время для подражаний и остережений. Вышли бы, показались.

Отвечают недобро, обидчиво, с прищуром в прицельную планку:

— Тебя на каком языке послать? И куда? По-латыни, на греческом или по-простому?

— Что вы такие недобрые?

Вздыхают:

— Значит, по-гречески. Шел бы ты в афедрон!

Кому-то и оставаться счастливыми в своем доме.

Обороняясь.

Любой ценой...

9

Дверь приоткрыта.

На стойке высится бак с кипятком, его окружают бумажные стаканчики, сахар, чай в пакетиках, кофе в банках.

Ночь ночью.

Перекресток.

Кафе «У скорпиона».

Хозяин отсутствует, да и кто здесь хозяин? Официантов тоже нет. Свет приглушен. Темные закрашенные стены, густые тени на лицах, скрывающие очертания.

Стоят столы со стульями, на них располагаются сидящие на перекрестке, которые вечно бодрствуют. Разглядывают ночных пришельцев, требовательно таращат глаза:

— Вопрос. На сообразительность. «Меньшее из того, что есть самое великое, больше, чем самое великое из того, что есть меньшее...» Кто так сказал?

Финкель отвечает:

— Неудачник, вот кто. Для собственного успокоения.

Переглядываются. Согласно кивают головами. Суждения их категоричны, с воздержанием от пророчеств, приговоры обжалованию не подлежат.

— Садитесь. Выпейте что-нибудь.

Наливают кофе и устраиваются за свободным столом.

Ладонь кладут на ладонь.

Седоголовый, светлоглазый, в растерянности от позднего счастья, и женщина иного возраста — глаза бездонные, нараспашку, в пробой чувств.

На перекрестке.

«У скорпиона».

Ночь ночью.

Один говорит, остальные слушают:

— У прадеда было всё: земли, сады, виноградники, жены с детьми, внуки несчитанные, праправнуки. Наследники делили его богатства, мельчали их владения раз за разом, и мне досталось оливковое дерево. Одно. Развесистое. С которого и кормлюсь... Есть у тебя дерево, незнакомец?

— Нет, — вздыхает Финкель. — Дерева нет. А хотелось бы.

— А у подруги твоей?

— Тоже нет, — вздыхает подруга. — Но у меня есть он, и мне достаточно.

Смакуют ее ответ, как пробуют на вкус крепкий сладкий кофе, снова кивают головами.

Другой говорит:

— Корабль сел на мель у берега, где мы гуляли босиком, по кромке воды, взявшись за руки. Его засасывало песками, тот корабль, корма уходила под воду, за ней рубка, мачта торчала беспечальным напоминанием; так оно с потерями, незнакомец, так будет со всяким — к облегчению его скорбей.

— Так не будет, — отвечает Финкель. — Мне ли не знать?

— Что скажет подруга?

Рука вздрагивает в его руке.

Еще один вступает в разговор, умысел в его словах:

— Бывала ли ты на выставках, незнакомка?

— Бывала.

— Видела ли ты, как женщина неотрывно смотрит с холста, умоляет не уходить в другой зал? Не ты ли это, незнакомка, с того холста?

Финкель молчит.

Подруга его вздыхает.

Голова на его плече, дыхание — теплотой в шею, цвет духов опахивает горчинкой.

— Десять. Ты обещал десять своих лет...

Новички — приманка для всякого, а потому подходит женщина, собою не гнусна, протягивает визитную карточку:

— Господа! К вашим услугам.

— В чем они состоят?

Внушает вкрадчиво:

— Связь с иными мирами. Воспроизведение прежних воплощений. А также изгнание злых духов из девственниц, подверженных бесстыдству.

— Это не для нас.

Но женщину не остановить.

— Солидные рекомендации. Благодарственные отклики. Прошу оповестить знакомых и родственников.

Соболезнуют:

— Застой в делах? Доходы невелики?

Соглашается. Слишком уж быстро:

— С девственницами нынче плохо. В Тель-Авиве и его окрестностях.

— В Иерусалиме не пробовали?

— Пробовала. Тут я бессильна.

И отходит к другому столу, чтобы выслушали и посочувствовали.

10

Выходят из кафе, встают на перекрестке.

Дороги на все стороны.

Тихо пойдешь — от беды не уйдешь. Быстро пойдешь — беду нагонишь.

— Куда теперь?

Пара мужских туфель поперек тротуара. Аккуратно. Одна к одной. Черные. Тупоносые. Начищенные гуталином. С язычком и без шнуровки. Шел человек своим путем, шел и шел, потом разулся, дальше пошагал босиком. Или в носках.

— Туда, — решает подруга. — Вслед за ним.

Сворачивают в ту сторону, куда указывают туфли. Идут, поспешая, хотя торопиться им некуда, держатся за руки заблудившимися детьми, оглядывая окрестности.

Возле неприметного здания, на приступочке, спиной привалившись к облицовочному камню, примостился Фолкнер-Хемингуэй: просторная блуза, берет на голове, трубка в зубах, компьютер на коленях. Вертит головой, примечая звуки и запахи, подхватывает оброненное слово, спешно отстукивает по клавишам мнимую реальность, невозможную к исполнению. Бушуют герои в его сюжетах, изнуренные страстями, компьютер дымится от нагрузки: без водяного охлаждения не обойтись.

Оглядывает Финкеля, бурчит обидчиво:

— Я вас узнал. Ходили некогда с прежней дамой, теперь с этой — не переписывать же рассказ заново.

«Вампиры, — щурится без приязни старик опечаленный. — Все они вампиры и мародеры. Крадут судьбы и поступки, высасывают чувства, без жалости доскребывают остатки. Ворует он, обворуют и его». — «Да это, может, великий писатель, — вскидывается на защиту ликующий старик. — Кто знает? Сидит на приступочке, завершает Книгу обновлений». — «Ну и что, — осаживает неуступчиво его сожитель. — Великих тоже можно не признавать. И не Книгу обновлений, а Книгу угасаний».

Феликс Кандель

Трещит мотоцикл. Проносится мимо предсказатель в каске на крутом вираже, нетерпелив и гневлив:

— Слушайте вы, приближающие конец времён! Несодеянно живёте. В мире превратностей. В загнивании сердец и мерзости суеверий. Можно сожалеть о вашей немощи, пожиратели грязи!..

Фолкнер прихватывает на лету заманчивый персонаж, упаковывает в сюжет блеклое его подобие, сообщает с тоской:

— Я же родился здесь! Восемнадцатое поколение на этих улицах! Тут мой банк, врач, адвокат, кафе с приятелями; казалось, приручил город, так нет же! Топорщится недостижимо, не укладывается на страницах...

Яростно сосёт потухшую трубку, щёки утягивая внутрь, вскрикивает, пронзенный озарением:

— Всё. Я больше не Фолкнер, больше не Хемингуэй! Моё имя ни о чём не говорит. Никому — даже мне. Я с этим смирился. И с вами смирился. С ними...

Финкель ему сочувствует:

— Вы прозаик. Вам так положено: тащить и тащить телегу, колесами по песку.

Взглядывает с благодарностью, наконец-то его понимают:

— Поэт сотворит десяток строк, бегает по знакомым, квохчет курицей, которая снесла яичко. Прозаик работает молча. Тяжко. Без огласки. Я — прозаик.

Глядит — никого не видит, погружаясь в глубины. Нескоро, без охоты, выныривает:

— Годы понадобятся, чтобы признал один из ненавистников, годы — чтобы другой, но их же много, очень много: не насладиться удачей. Вот бы так: вхожу в комнату — все улыбаются, выхожу — печалятся... Вы еще здесь?

— Здесь.

— Вам налево по моему замыслу. Налево — на самом деле направо, для занимательности рассказа.

Так оно и происходит. Поворот налево отправляет их направо, поворот направо возвращает назад.

— Мы не заблудились?

Улыбается:

— Пока нет.

Узкий проулок меж каменных стен, где двоим не разойтись. Страж на входе произносит пароль:

— «Счастлив человек, который не ходил по совету нечестивых...» Продолжи.

Она продолжает:

— «...и на пути грешников не стоял...»

— Теперь ты.

Финкель завершает:

— «...и в собрании легкомысленных не сидел...»

— Проходите.

Идут дальше. Забираются в переплетения дворов-закоулков. Финкель спрашивает:

— Что я сказал? Тому, на входе?

— Первый псалом Давида. Самое начало.

— Я же его не знаю.

— Теперь знаешь.

Возле его подруги происходит невозможное, и к этому не приноровиться.

— «В собрании легкомысленных...» — улавливает Фолкнер-Хемингуэй, ерзая на приступочке. — Замечательно сказано! Чур, это мое...

II

Дверь распахнута.

Свет из нее.

На пороге стоит мужчина, лица не разглядеть.

— Нам сюда.

Магазин деревянных игрушек, открытый ночью. Деревянные домики. Расписные лошадки. Коляски для кукол. Солдатики в красных шапках, изготовившиеся к бою, человечки для кувыркания на деревянных лестницах, сороконожки на крохотных колесиках. Из раскрашенных дощечек можно собрать жирафа, кенгуру, слона и крокодила. Деревянная люстра — многоцветной воздушной грушей — висит под потолком, в корзине разместились отважные деревянные воздухоплаватели.

Чисто.

Тесно.

Неспешно шелестит вентилятор.

Посреди магазина примостилась на стуле старая женщина, будто вырезана из бугристого ствола, обреченного на спил. Бусинки насыпаны в ее подоле, она их перебирает негнущимися пальцами, по сторонам не глядит.

Мужчина в дверях немолод. В глазах грусть без надежды на лучшие времена.

— Вот сидит старенькая мама моя. Не слышит уже, почти не видит. Запахов тоже не ощущает, всякая еда ей без вкуса. Живет в себе, настоящего не приемля, казалось бы, для чего? Но я улыбаюсь ей, она улыбается в ответ: нам достаточно.

Вынимает из коробки новые игрушки, выставляет в витрине. Зайца с барабаном из крашеного дерева. Мышонка с ксилофоном. Долгоносого мальчишку с трубой, которого помещает впереди всех.

Финкель шепчет:

— Он кто?

— Еврейский папа Карло.

— Почему так печален?

— От него ушел Пиноккио. Улетел за океан.

— Кто же сюда заходит? В нехоженое место?

— Никто.

— Куплю что-нибудь. Чтобы порадовать.

— Он не продаст.

— Почему?

— Хочет оставаться в печали.

Папа Карло подтверждает:

— Купить нельзя, но поиграть разрешается. Покататься на лошадке. Посидеть в домике.

— Мне в нем не поместиться. Не привести ли внучку?

— Привести можно, даже нужно, но вряд ли вы нас найдете.

Он вздыхает. Они вздыхают.

— Почему ночью открыто? — спрашивает Финкель.

— Потому и открыто. Закрывают магазин, чтобы не пришли после указанного часа, а к нам и так никто не придет. Возникает вопрос: как мы живем? Возникает ответ: так и живем. Если по правилам арифметики: плюс-минус, доход-расход, давно пора умереть. Но мы живы, нам с мамой хватает.

Он всплескивает руками. Они всплескивают.

— Раньше жили вместе, под одной крышей. За стол садились дедушки-бабушки, дети с внуками. Теперь изобрели филиппинок. Дедушки отдельно, внуки отдельно — филиппинки посредине.

Он огорчается. Они огорчаются.

— Сын родил ребеночка, внучку мою. Включаю компьютер, вижу ее на экране, говорю ласковые слова: виртуальный дедушка, виртуальная внучка. Мама спрашивает: «Она в ящике?» Нет, говорю, она за океаном. «А кто в ящике?..»

Деревянная клетка подвешена под потолком. На деревянной жердочке примостился попугай, как вырезанный из просоленного бруска, выкинутого волной на берег. Веко на глазу опавшее. Взгляд застывший. Профиль задубелый — римского патриция. Папа Карло рассказывает про него:

— Существо говорящее, возможно, мыслящее. Беседовал с мамой, делился впечатлениями, советы подавал, а потом замолчал. «Старая стала, — решила мама. — Ему без интереса. Со старухой какой разговор?» Повез к ветеринару. Деньги заплатил. Тот определил: редкая для птицы болезнь, одеревенение тела. Понес к мудрому старцу, про которого говорят, что он молится даже во сне, — рабби, что делать? Глаза ясные, лик светлый, руки конопатые, в рябинку, — думал, выгонит за дерзость, но он осмотрел попугая, сказал: «Мы с ним ровесники. К нашим годам и ты одеревенеешь».

Оглядывает их, достойны ли откровения. Приходит к выводу, что достойны, поэтому говорит:

— Вот история моя, — запиши, сочинитель, да послужит уроком твоим читателям, если таковые, конечно, окажутся.

— Там, за углом, Фолкнер-Хемингуэй. Расскажите ему.

— Он не по нашей части. — И продолжает: — Был я учителем в школе, учителем электротехники, которая начинается с правила: электрический ток — это направленное движение электронов. Школьники не переспрашивали: направленное так направленное, а я рассказывал на уроках и беспокоился, не попросят ли уточнить... И дождался.

Финкель вникает со старанием, стараясь не упустить подробности; папа Карло продолжает:

— Один из учеников, хиленький, никудышный, самый что ни есть неприметный, спросил: «Если щелкнуть выключателем за тысячи километров от турбины, он что же, этот электрон, тут же добежит до моей лампочки? И если дом на горе, квартира под крышей, провод скрученный-перекрученный: ему не помешают?» Видишь ли, говорю, в сети есть напряжение, разность потенциалов, электродвижущая сила, электромагнитные колебания, которые... которые... «Это я знаю, — согласился. — Но если щелкнуть выключателем за тысячи километров от турбины, электрон сразу прибежит ко мне, к Ави, даже к Алексу на другой улице?..» Ночами не спал, прогуливал уроки, чтобы не входить в тот класс, не видеть вопрошающих глаз, — лучше бы он издевался, поганец, так нет же, он просто желал знать, что такое электрический ток...

Старая мать шевелится на стуле. Он улыбается ей, она улыбается ему.

— Ушел из учителей, открыл магазин игрушек Katz & Co. Катц перед вами, а «Со» — моя мама. Она же Минтц, Швартц и Шультц.

Выходят на улицу. Папа Карло шагает следом:

— После того случая стал осторожничать, во всем сомневаться. Вам признаюсь, только вам...

Шепчет, озираясь, сообщает то, чего не услышать при свете дня:

— На той неделе. Помните?.. Перевели страну на летнее время. Забрали час, целый час! И я беспокоюсь. Я в сомнениях... Вдруг его не вернут, наш час? Что тогда?

— Вернут, — обещает Финкель без особой уверенности. — Всегда возвращали, должны и теперь.

Папу Карло это не убеждает. Говорит на прощание, в глазах боль-тоска:

— Еще одно, немаловажное... Случится короткое замыкание, потухнут небесные светила, где тот знаток-электрик, что вернет нам свет? Как его отыскать?..

Они возвращаются по обуженному проулку, меж каменных стен; страж на выходе произносит пароль:

— «Да не затопит меня поток вод...» Дополни.

Она дополняет:

— «...да не поглотит меня глубина...»

— Теперь ты.

Финкель уже не удивляется:

— «...да не закроет надо мной колодец отверстие свое...»

— Проходите.

Она шепчет, тайная его подруга, губы обметало словами:

— Милый, теперь твой черед. Увлеки меня в свой город. В улицы твои, переулки, в их звуки, запахи. Уведи туда...

...где перезвон трамваев на Бульварном кольце, липовый цвет на аллее, песочница с позабытым совочком, мальчик на педальной машине, тополиный пух по бортику тротуара, асфальт в жару, проминающийся под ногой, служительница с метлой, сметающая палые листья по осени, дворники со скребками по ледяной корке тротуара, соевые батончики в кондитерской, «Закройщик из Торжка» в кинотеатре на углу, диковинные газеты на стендах: «Лесная промышленность», «Водный транспорт», «Советский патриот», женщина в белом халате поверх пальто, с нехитрым приспособлением в руках, куда укладывают вафлю, на нее мороженое из бидона, обложенного льдом, поверху вторую вафлю, придавливают шпеньком — на́ тебе, лижи на здоровье...

...увлечь туда, где дожидается айсор, чистильщик обуви в тесной будочке, возле дома у Никитского бульвара, разрушенного тяжеленным чугунным шаром на тросе. Туда, где по праздникам продавали на бульварах шарики на резиночках, «тещины языки», писклявые «уди-уди», где затаились в киосках сгинувшие продавщицы газированной воды: без сиропа — копейка, с малиновым сиропом — пятачок; где у бочки с квасом томятся страждущие, цыганка на Арбатской площади, пугливо озираясь, нашептывает: «Позолоти ручку. Всю правду узнаешь...», а в комнате его памяти серая вата за двойными рамами, сахарница с колотым сахаром на столе, Надежда Андреевна Обухова по радио: «Я тебе ничего не скажу, я тебя не встревожу ничуть...», телефон в коридоре — К3-43-73, где схоронились голоса его родителей...

...туда, конечно, туда, чтобы взлететь через две ступеньки на последний этаж, встать у окна своего детства, углядеть напротив дом Лунина с колоннами, крыши, крыши, крыши до самого Кремля, откуда наплывали призраки его мечтаний, которым не стать ее призраками...

— Здесь, — удивляется Финкель, — нет чистильщиков обуви и киосков с малиновым сиропом, не попадаются и бочки с квасом ...

Утром выглянет в окно, вздохнет огорченно: еще один апельсин исчез. Нет его на ветке, нет на траве. Не иначе встал под деревом подлый человек, с души темен, сбил апельсин палкой, растоптал, подметкой растер в месиво. И останутся три на дереве, три последних...

Звонок из Хадеры:

— Я тоже видела. Видела! Как гвозди вбивали в дерево, а оно живое, живое... И я, я живая... Поговорим?

— Поговорим.

— Кому начинать?

— Вам начинать, мне не перебивать.

Начинает раздумчиво, слово отделяя от слова, разгоняясь к долгой беседе:

— Не люблю себя на фотографиях. В зеркалах тоже не люблю. Даже в витринном отражении. Вижу не себя — свою бабушку, которая плохо говорила по-русски. А я, литературная девочка, хорошие стихи читала, плохие писала, бегала на поэтические вечера — от себя не убережешься, сочинитель.

— Очень уж вы суровы к себе.

— Не льстите, не надо...

Куда уведут их разговоры, в какие откровения?

— Я балованная. Меня любили, не скрывали этого, а здесь — никто и никому. Дали пособие, и всё. Так хотелось почувствовать тепло, ласку — сразу, по приезде.

Признание:

— Любить-то меня не за что...

Вскидывается:

— Не надо меня любить, не надо!.. Обласкайте хоть кого, и мне станет легче.

Подошло время затронуть запретное:

— Вы тут...?

Угадывает вопрос:

— Одна. Я одна. Муж работал на полигоне, весь в секретах. Мужа привезли в гробу, не дали его открыть; может, никого там не было.

— Дети у вас...?

— Дети были. Неродившиеся. Жили во мне, ждали своего часа. Трое. Нет, четверо... Я с ними разговаривала, кормила, укачивала, каждого называла по имени. Всех любила, но девочку особенно. Косички ей заплетала, платьица примеряла, туфельки с носочками... Теперь я старая, и они во мне умерли.

Горлом издает звук, сглатывая слезы.

— Выдумываю, всё выдумываю. Муж мой... Что делал на своей работе? Какую Хиросиму готовил? Не было у нас детей. Не могло быть. Прошла по свету и недодала, даже детей недодала...

Молчит. Он молчит.

— Читаю вашу книгу. Подбираюсь к последней части... Просьба у меня.

— Слушаю вас.

— Не дайте умереть вашему герою.

— Это от меня не зависит.

— Какие вы жестокие, сочинители!..

Пожалуй что так...

Уходит без оглядки день шестой, в котором герои так и не пришли к единому мнению по какому-либо вопросу и не последовала кратковременная удача, способная утешить хотя бы на время...

Часть седьмая

Синий дым Китая

I

Утро подступает торопливое.

День хлопотный.

— Что теперь? — спрашивает Ая.

— Надеваем фартуки. Косынки. Берем метлу, тряпки, ведра, пылесос. Генеральная уборка! Перед приездом родителей!

Стараются все.

К себе без поблажки.

Даже Ото-то, потный, взъерошенный, бегает по комнатам, суматошится без особой потребности. Раскраснелся. Помолодел. Растрепались пряди волос. Человек при деле, нужном и важном, не мешайте человеку.

Возятся до полудня.

Потом обедают.

Отдыхают от непосильной работы.

Идут к Ривке-страдалице.

В квартире у Ривки переполох. Ривку забирают в дом престарелых, и соседи собираются у ее постели. Финкель, Ая и Ото-то, Дрор с девочкой, которая держит его за руку, филиппинка приткнулась у двери в тревогах за завтрашний день. Тут же — без них не обойтись — Бублик с Ломтиком, которому сменили подмоченные штанишки на новые.

Сумерничают за задернутыми шторами. Ривка убеждает собравшихся:

— Семьдесят лет — это не так уж и мало. Можно многое успеть, если, конечно, постараться.

Ото-то волнуется:

— Не остаться ли насовсем? Всем вместе. На нашей площадке.

Вздыхают:

— Если бы...

Дрор вскидывается на стуле:

— Слушайте!.. Я же могу и там. В доме престарелых. Оживлять сердца сокрушенных.

Девочка морщит лоб в сомнениях:

— У престарелых? Очень уж престарелых?.. Там я согласна.

Филиппинка сообщает вдруг:

— В нашей деревне. Женщина. Пару лет прожила на том свете, вернулась и стала жить заново.

Обдумывают такую возможность, принимают или отвергают; Ривка прикидывает: «Заново? С Амноном? Я согласна».

Приходят санитары с носилками.

Все провожают Ривку до машины.

Прощаются. Обещают навещать. Долго глядят вослед...

...еда станет пресной, разговоры никчемными, окружение безликим, интересы подернутся ряской, без родника на дне и кувшинки на плаву, тешащей взор. Для стариков нет отдаленного завтра, нет порой и сегодня в неулыбчивом существовании. Сначала не видишь себя со стороны. Затем не хочешь видеть. Не можешь. И наконец, какая разница?..

Можно запасать камушки на могилу.

Ривку удивят старушки, потребляющие немало пищи, будто накапливают ее к дальней дороге. Одна из них тут же сообщит новенькой, гордо потряхивая кудряшками: «Взяла от жизни всё, что успела забрать. И пусть они задавятся от зависти-обиды. Они все...» Другая прибавит свое: «Отец прислал деньги на пианино, а мы купили корову. В войну не было кормов, молока у нее тоже не было...» Третья, глухонькая, слепенькая, в белых валенцах, в синем платье с горошинами, силком выдернутая из Среднерусской возвышенности, будет вскидываться на стуле с каждой ложкой супа: «Тебе это ндравится? Мне не ндравится. Что тут может пондравиться?..»

Мягко, в валенцах, подкатится к Ривкиной кровати, ткнет пальцем в выпуклость у себя на груди, спросит хитровато на незнакомом наречии:

— Чего у меня?

Вытащит из-за пазухи железную коробку, повертит перед носом:

— Чай. Люблю чай. — Глянет подозрительно по сторонам, засунет банку обратно. — Целее будет...

Ривка улыбнется ей, привечая, и она приткнется в уголке кровати, станет перебирать беды свои, взбалтывая ногами:

— Дуня, кричат, бежи домой! Твоего на войну забирают... Прискакала с поля без памяти, а его уж забрали, отвезли и убили. Кручиновата стала, к винцу приохотилась...

В один из дней Ривку поднимут с постели, облачат в нарядное платье, усадят в кресло — так она распорядится. Сын Ицик приедет с женой, с внуком Рони, и она не захочет, чтобы мальчик запомнил бабушку беспомощной. У Рони ожидается бар-мицва в синагоге, но Ривку не повезут на торжество — слишком уж хлопотно, а она, гордая, не попросит. Но напоследок... Напоследок пожелает выслушать те слова, которые внук произнесет перед собравшимися.

— Недельный раздел «Ваишлах», — громко, с выражением, скажет Рони. — Могу наизусть.

— Наизусть, — попросит Ривка.

Станет выпевать положенные строки:

— «И двинулись они из Бейт-Эля, и было еще некоторое расстояние до Эфрата, как Рахель родила, и роды ее были трудные. И когда она напрягалась при родах, повитуха сказала ей: "Не бойся, ибо это тоже тебе сын". А когда душа ее покидала, потому что она умирала, назвала сына именем Бен-Они, а отец назвал его Биньямин. И умерла Рахель, и была погребена по пути в Эфрат, он же Бейт-Лехем...»

— Достаточно, — оборвет невестка, но Рони дополнит:

— «И поставил Яаков памятник над могилой ее, надгробный памятник Рахели до сего дня...»

Ривка прольет слезу, оплакивая себя и Рахель-страдалицу. Ривка побывает на торжестве без Амнона, что ее огорчит.

— Всё, — скажет, — теперь я согласна. Быть тому.

Молодость — подобно любви — приукрашивает облик.

Старость — сродни ненависти: выпячивает подробности, которые не упрятать от посторонних.

Подступят дни немощи в натужливом дожитии, станет ненавистно тело свое, затасканное на веку, проявятся его запахи, которых прежде не было, размоется синева глаз, попе-

333

речная морщина проляжет на лбу знаком обреченности, томление затрет прежние черты. «За что Ты нас старишь, Господи?..» — и Ривка умрет в тихой слабости, на исходе отдаленного дня: грустная бабушка, которую редко навещали. Заснет и не проснется. Или не захочет просыпаться, чтобы затаиться немым обитателем кладбища под боком у мужа. «Куда ты торопишься?» — «К Амнону, куда же еще? Который заждался». — «Сынок, — скажет перед уходом, — научу тебя варить кашу». — «Кашу... — фыркнет его жена. — Понадобится, сама сварю».

Сон навестит щедрым подарком, легкий, нежданный, примет в свои ладони, понесет бережно к Амнону, к его силе, неутомимости, к чистоте и простоте их дома и помыслов, к затяжной работе, от которой ныли руки, веселела душа, к холоду зимних ночей и отброшенному одеялу, когда согревала близость...

Где те дети, что досматривают своих стариков до последнего часа? — хвала им. Позвонит сын Ицик, позовет соседей на похороны. В помещении для прощания, на входе в зал, пометят на табло фамилию, время похорон: «Четырнадцать часов двадцать минут. Ваша очередь плакать». Ицик скажет нежданно для самого себя: «Ты отправляешься в вечное путешествие, мама, и мы надеемся, что оно тебя порадует». Финкель удивится: «Она же хотела в Галилее. Рядом с Амноном». — «Далеко, — отмахнется жена сына. — Чего уж теперь?..» Даже на камне не пометят: «Ривка, жена Амнона»...

Машина увозит Ривку. В дом престарелых.

— Что с квартирой? — спрашивает Финкель.

Филиппинка отвечает:

— Будут продавать.

А мебель? Куда денут старые, послужившие на совесть шкаф, диван, стол и кровать, привезенные из Галилеи, обтертые спинами, обтроганные руками, обласканные взглядами, обогретые объятиями Ривки-Амнона? «Это разве мебель?» — фыркнет жена Ицика и отдаст за малые шекели арабу-перекупщику, который кружит по улицам на ободранном грузовичке, кричит на идише: «Алте захн! Алте захн!..», что прежде означало «Старье берем!».

Перекупщик вывезет всё, комнаты осиротеют, и станет так. Обвиснет под потолком патрон без лампы на скрюченном, иссохшем проводе. Осиротелые беленые стены выкажут отемневшие контуры шкафа, холодильника, зеркала. Кудельки пыли покатятся по полу. Потревоженные паучки разбегутся по потолку. Надышанное унесет сквознячок.

Где она будет стоять, мебель Ривки-Амнона, кого радовать?..

2

К вечеру они выходят на прогулку.

Финкель ведет на поводке Бублика, Ото-то — Ломтика. Собачка шагает в непромока-емых штанишках, хвостик задиристо торчит наружу, Микки Маус красуется на интересном месте.

Идет навстречу Дрор под руку с девочкой, оглядывает ее влюбленно; желания в его душе взмывают, не опадая.

— Тебе сколько лет?

— Сколько надо.

— Но все-таки?

Тоненько смеется:

— Не спрашивай — не совру.

Дрор кидается к Финкелю, оповещает:

— Господи Боже мой, я же теряю квалифика-цию! Как их обольщать, когда желаешь одну?

— Одну — это меня, — уточняет девочка.

— Клиентов нет. Бедняжки разбежались. Как жить будем?

— Хорошо будем. Я работать пойду.

Говорит с пугливым восторгом:

— Такая... Таких не бывает на свете! Одежды рвутся на ней, не выдерживая напора, пуговицы отлетают, подметки отскакивают; проходит по комнатам — вихрь, шквал, ураган: двери хлопа-ют, тарелки летят со стола, картины срываются со стен, трескается штукатурка, опадают обои, помехи в телевизоре...

Снова она смеется:

— Меня не утишить.

Дрор увлекает соседа в сторону, шепчет на ухо:

— А когда... То самое... Лампа перекаливается под потолком, розетки брызгают искрами, холодильник гудит от натуги, предохранители летят, во тьму погружая... А она только рада: «Можно и на ощупь!» Жар от нее, озноб, кровь из носа... Мне не продержаться, Финкель!

У девочки хорошая сообразительность. Чего не слышит — угадывает.

— То ли еще будет.

Уходят, прильнув друг к другу. Прохожие оборачиваются, оглядывают завистливо, скучнеют в уличной суолоке...

...под утро, через день-два, Дрор поскребется в дверь, сникший и порушенный: «Финкель, она ушла». — «Как?!» — «Вот так. Собрала вещички. Чмокнула в щеку: "Скоро свадьба. Пришлю приглашение", — и ускакала по лестнице...» Размажет слезу по щеке: «Молодость моя. Ускакала вдогонку... Понимаешь, Финкель?» — «Понимаю». — «Зачем? Зачем же так?..» Кто оживит сердце сокрушенного мужчины? Финкель, конечно, Финкель. «Ты полюбил, — скажет. — За это стоит и пострадать»...

Идут дальше.

— Де-душ-ка... Гахлилит! Вон там гах-ли-лит!..

Камень глядит из сохлой травы — глазницами черепа, добела отмытый зимними дождями. Нечто невидное мерцает на нем голубеньким огоньком, подает сигналы такому же созданию, призывая воссоединиться.

— Светлячок! — радуется Ая. — Возьмем?

— Возьмем, — соглашается Финкель.

— Еще как возьмем! — соглашается Ото-то.

Камень приземистый, пористый, со многими глубинными ходами, в которых затаилась, возможно, ползучая живность. Финкель тащит его к лифту, Ая с Бубликом прыгают по ступенькам, светлячок мерцает и мерцает, не обращая внимания на перемещение в пространстве.

— Поставим его на балконе, — пыхтит Финкель. — По вечерам будем сидеть вокруг, смотреть на огонек...

Это происходит у них на виду.

С балкона — театральной ложи.

Ото-то ждет их на улице, держит Ломтика на поводке.

Крапчатая лента выскальзывает с газона, течет, извиваясь, по тротуару, потом по мостовой.

— Змея!.. Змея!..

Ломтик вырывает поводок, с лаем кидается за ней, Ото-то бежит следом, размахивая руками, — мусорная машина вылетает из-за угла, под визг тормозов сбивает обоих.

Корчится на асфальте змея — переехало колесом.

Лежит на боку собака в непромокаемых штанишках для младенцев, откинув задние ноги, хвостик беспомощно валится на сторону.

Распластался на животе Ото-то, рубчатые подошвы туфель со скошенными пятками смотрят на прохожих с немым укором. Неужто соседи были правы, с задержкой на много лет? «Ото-то, граждане, Ото-то...»

Прыгают с запяток машины уборщики в спецовках. Выскакивает из кабины водитель. Бежит по лестнице Финкель, позабыв про лифт. Плачет Ая, поспешая следом, Бублик визжит в истерике, путаясь под ногами.

На шум выходит доктор Горлонос с Амфибрахием. Осматривает Ото-то.

— Он ранен?

— Он ушиблен. Отведите домой.

Осматривает Ломтика:

— Паралич задних ног. Везите к ветеринару. Чтобы усыпил.

Все замолкают.

Даже Амфибрахия прошибает слеза — или так кажется?..

3

Ая затаилась на балконе.

Притихшая. С голубенькой жилкой на лбу.

Полная луна заглядывает ей в лицо. Лик светлеет, светлеют глаза у девочки: Ая думает.

Жизнь ворвалась нежданно — криками, взвизгом тормозов, распростертыми телами. У Аи от волнения поднимается температура; дедушка укладывает ее в постель, поит теплым молоком с медом, рассказывает:

— В давние, совсем уж давние времена, когда моя мама была маленькой и тоже болела, ее бабушка наговаривала девочке такой стишок:

> Доктор Клоп сморщил лоб,
> Долго слушал Блошку.
> Дал наказ: «Через час
> Пить микстуры ложку...»
> Доктор Клоп сморщил лоб...

— Не морщи лоб, — предупреждали его. — Останутся морщины.

Но он морщил и морщил с ранних лет, старательно думая о чем-то, потому, возможно, и стал доктором.

Доктор Клоп сморщил лоб...

Фамилия его была Клопшток, но про то все забыли и называли «доктор Клоп», ибо он въедливо впивался в больного, высасывал сведения, необходимые для успешного излечения.

Доктор Клоп сморщил лоб...

Случай был редчайший в его практике, не встречавшийся прежде, а потому требовал усиленного размышления.

Доктор Клоп сморщил лоб, долго слушал Блошку...

...биения сердца, вдохи-выдохи, хрипы и всхлипы, которые настораживали, путаные ее рассказы, мешающие установлению диагноза. Вообще-то больную звали Матильдой, но все называли ее Блошкой, потому что была прыгучая, временами кусачая, чем и оправдывала свое прозвание.

Доктор Клоп сморщил лоб, долго слушал Блошку. Дал наказ: «Через час...»

Это было удивительно, ибо Блошку осматривали многие специалисты без надежды на исцеление, но вот пришел он...

...доктор Клоп...

...а точнее, Клопшток...

...сморщил лоб...

...на котором было немало морщин...

...долго слушал Блошку...

...настоящее имя которой не имеет отношения к дальнейшему повествованию...

...дал наказ: «Через час...»

...каждый час, строго по хронометру, не упреждая и не забегая вперед...

«...пить микстуры ложку...»

...чайную ложку чудо-лекарства...

...натощак или после еды, что не имеет значения...

...перед употреблением взбалтывая...

...чтобы от той микстуры взыграла кровь в сосудах у Блошки, настроение улучшилось, гемоглобин повысился, здоровье восстановилось на глазах...

Нет, не зря доктор Клоп морщил лоб. С раннего своего возраста.

4

Ая спит камушком, не шевелясь, дышит неслышно.

Ресницы опадают, затеняя впадины под глазами.

Приоткрывается неприметная калитка в глубинах тела, душа девочки неспешно выскальзывает наружу, пролетая над городом из конца в конец. Луна высвечивает для нее укромные уголки, чтобы напиталась знанием и по возвращении проявила увиденное в мимолетном сне, порадовала или огорчила.

«...отдаю ей время свое. Отдаю себя. Будет плохо, когда она повзрослеет и уйдет от меня, если, конечно, доживу до этого. Ей будет плохо, когда уйду я...»

Финкель выходит на балкон, разглядывает светлячка. Ликующий старик и старик опечаленный переговариваются озабоченно: «Очень уж впечатлительный ребенок у нас». — «В бабушку Зисл». — «Не мешало бы чуточку огрубить». — «Найдутся охотники». Молчат, завороженные светлячком. «Как его зовут?» — «Гахлилит». — «Если подуть, потухнет или разгорится?..»

Пора навестить Ото-то.

В доме у него неустроенность, словно всё клеенчатое, холодное, несминаемое. Жалюзи на окнах не опускаются, дверцы шкафа не закрываются, кастрюли со сковородками ждут женской руки, подтеки на потолке — шпаклевки с покраской, плиткам на полу не помешала бы жесткая щетина, чтобы оттереть застарелую пыль.

Ото-то лежит на кровати, высунув огромные ступни из-под одеяла, пухлые губы опали и побелели, а филиппинка уже хлопочет по комнатам. Разложила аккуратно свои вещи, вымыла тарелки с чашками, протерла пол, замочила белье, чтобы утром постирать, напоила его чаем, поменяла повязку на голове. Тихо позвякивает посудой на кухне, готовит обед из скудных его запасов; муха Зу-зу летает за ней, будто привязанная.

Дрор тоже тут. Разглядывает женщину — смоляные волосы в пучок, пухлые руки, ямочка на щеке, ямочки на локтях; раздумывает вслух:

— Хороший бюст. Просто замечательный. Всё остальное хуже.

Решает:

343

— Я их посватаю. Бесплатно. За три сеанса.

Филиппинке возвращаться некуда, она согласна и без сеансов. Карлица рядом с великаном, не достает ему до груди — ну так что? Ото-то будет накормлен, обстиран до конца дней; она побелит комнаты, починит жалюзи, в доме станет чисто, светло, тепло на душе. Но он ее не желает. Он желает Хану.

— Финкель, — говорит обеспокоенно, а в глазу копится слеза, каплей застывшего лака. — Зузу постареет, и что... Что тогда?

— Глупости! — восклицает Финкель. — Муха — она всех переживет. Мухи — они такие.

Филиппинка забивается в угол, горюет неслышно. Рост крохотный, страдания непомерны: придется ехать домой, где ее никто не ждет.

А что дальше? Дальше-то что?..

Змея побывает к утру под многими колесами, серым пятном втертая в асфальт. Ломтика похоронят на склоне оврага, возле приметных сосен, в выемке под нависшей скалой, куда накидают веток, чтобы мягче было, уложат собачку в непромокаемых штанишках, накроют картонной коробкой, набросают песок, завалят поверху тяжеленным камнем. Ая нарвет цветы, разложит вокруг; постоят, повздыхают, пойдут домой.

Ото-то спросит:

— Где Ломтик?

— Ломтика больше нет.

Не подсластить горе мороженым…

«…поведаем теперь о спаниеле, которого потрясет гибель собаки.

Задумается, перестанет есть-пить в затаенной тоске, впадет в тяжелейшую скорбь, но пробудит его ненавистное сооружение, изрыгающее звуки к удовольствию доктора Горлоноса, фрау Горлонос, их гостей. И тогда красавец Амфибрахий, расчесанный, ухоженный, пахнущий иноземным шампунем, встанет с подстилки, неспешно подойдет к сооружению, поднимет на него лапу и будет опорожняться долго, задумчиво, тугой, обильной струей, кипящей от ненависти, пока не заискрит внутри синим пламенем, не захрипит музыка к ужасу присутствующих.

Вечером, во время прогулки, спаниель вырвется из хозяйских рук, облохматится в пыли возле помойки, шерсть сваляет комками, резво умчится вдаль и вместо ненавистного Амфибрахия станет драным, подзаборным псом по кличке Шпунц, чтобы подталкивало к оскалу, прыжку, клацанью зубов — Шпу-пу-пунц!..

Осиротевший доктор Горлонос, уязвленный собачьей неблагодарностью, впервые поднимется на последний этаж, прочитает остережение: "Входящий! Уважай покой этого места", засутулится на стуле, чтобы обрести покой, — если бы так…»

5

Ломтика усыпили.

Кошку с котятами забрала Хана.

Бродит по квартире Бублик, не находя себе места. Заходит на кухню, укладывается у ног старого человека, тихонько поскуливает.

Звонок из Хадеры. В неурочное время.

— «...дети. Больные. Вот они и пробились...» И я с ними. Помолчим?

— Помолчим.

Кукушка на костылике выглядывает из часов и тут же убирается обратно, чтобы не обеспокоить.

Дышит в трубку. Прикусывает, должно быть, губу. Приближается к заветному слову и отступает.

— Спасибо вам, сочинитель. Поняла наконец, что всё позади, — это добавляет печали, но это и освобождает. Буду неприметно стариться, если получится.

— Может, переехать вам в Иерусалим?

— Камень. Избыток камня. Это меня беспокоит. — И в горловой спазме: — Господи, как я себя утомляю!..

Счастье делят со всяким, огорчения — с близкими. Говорит — в голосе затаился надрыв:

— Не совпадаю. Я не совпадаю... Всё как нарочно, чтобы не прижиться. Не прибиться к берегу. Даже трубу прорвало в доме, вещи мои затопило. Труба не выдержала, и я за ней... Тут вам и позвонила.

Плачет, должно быть. Слезы льет молча, как девочка Ая на коленях у медведя.

— Приехала — в щель закатилась, где никто не найдет. Не станет искать... И что же? С прошлым не расстаться. К настоящему не прилепиться...

— Что вас здесь держит?

— Честно?

— Честно.

— Нелюбовь к этому месту.

— Уезжайте.

— Я гордая. Хочу полюбить, и не выходит. Учусь жить иначе — не получается. Как там у вас? «Не мешало бы чуточку огрубить...»

— Я рад, что вы объявились.

Затаилась. Дышать перестала.

— Правда?..

— Правда.

Что-то еще недосказано, многое недосказано.

— Не следовало мне звонить, нарушать ваш сон; намутила — и в бега... Последняя просьба, сочинитель. Пойдете к Стене — засуньте записку меж камней. Напишите четко, под-подушечным посланием: «Господи! Положи камушек на ее могилу».

И в завершение разговора:

— Читаю вашу книгу. Перелистываю. Повсюду та женщина.

Пауза — глотком воздуха. Нелегкое признание:

— Завидую ей, ушедшей до срока. Вам завидую... Приснитесь при случае.

Кладет трубку без жалости к себе, чтобы затаиться там, где гремят посудой и нафаршировано всё, что фаршируется.

Выговаривает ликующий старик, горестно-сострадательный: «Ах, Финкель, Финкель, очерствевшая твоя душа! Пробивались к тебе за сочувствием, а ты? Что же ты? Уж если старался для выдуманных героев, ради живого человека можно обеспокоиться». Возражает старик опечаленный, умудренный возрастом: «Малые миры наполняют большой мир, но не сливаются — в отличие от шариков ртути, нет, они не сливаются».

А Финкель ходит по комнате из угла в угол, поглядывает на телефон, который сохранил ее номер. Потом звонит.

Голос резкий, недовольный чужим вторжением:

— Такой здесь нет.
— И не было?
— И не было...

На газоне чего-то недостает.

Привычного.

Почти окаменелого.

Финкель приглядывается: нет никого на скамейке. Под апельсинами. Где же реб Шулим?

Кричат от подъезда:

— Умер! Умер во сне!..

— Заснул к ночи — и не проснулся!..

Душа реб Шулима вылетела на обзор окрестностей и не вернулась обратно. Скончался, захлебнувшись молчанием, слово его удушило, крик удушил, рвущийся на волю; реб Шулим прошел по земле тише тени и отправился туда, где не понадобится бутылка с водой, в вечную отправился бессловесность, которую наполнят невысказанные его слова. Легкая досталась смерть — уж не простила ли его та, что схоронилась под могильной плитой?

Простила. Она его простила!

В подъезде появится сообщение в траурной рамке, полное имя: Шломо Моше бен Шмуэль.

«Как же так? — подумает Финкель. — Я его уже хоронил...»

Новая загадка на ночные размышления.

6

Мама Кира и папа Додик приезжают к полуночи. Загорелые. Отдохнувшие. С подарками. На обратном пути завернули на Кипр, побывали в Фамагусте — будет о чем рассказать.

В доме порядок. Всё на местах. Ая ходит в садик, Финкель ее опекает, Бублик крутится под ногами.

Мама Кира кружит по комнатам, устраивает проверку.

— Странно, — говорит мама. — Чисто. Прибрано. Видна рука женщины.

— Какая женщина... — удивляется Финкель. — Не было никакой женщины.

— И шерсть на подстилке, — определяет мама. — Не от Бублика.

— От кого же тогда?

— И дверь оцарапана. Лапы кошачьи.

— Что ты всё выдумываешь?

Но маму не обманешь. Мама Кира вдыхает воздух:

— А запах?

— Запах?

— Духов, мне незнакомых?

Дымные, бархатистые дуновения, пробуждающие душевные раны, хоронятся по углам квартиры, стелятся по потолку, — неужто приплыли по проводам из Хадеры, разве и такое теперь возможно?.. Мощные ароматы мамы Киры придавливают пришельцев к стенам, распластывают на полу; ломкие и печальные, прохладные и угасающие, они продержатся малое время, не желая истаивать, улетят обратно с попутными ветрами.

На балконе мама замечает пористый камень с глубинными ходами, нечто невидное мерцает на нем голубеньким огоньком.

— Что это? Зачем тут?

— Гахлилит, — объясняет Финкель. — Это гах-ли-лит.

— Выкинуть, — командует мама Кира. — Немедленно. Чтобы всякая нечисть не расползлась по дому.

— Пусть постоит, — просит папа Додик. — В этом что-то есть. Покажем приятелям.

Мама запечет баранью ногу в духовке, папа откупорит бутылки, друзья повезут через город салаты, заливную рыбу на блюде, пироги скорого приготовления из коробочной смеси муки-шоколада. Когда гости насытятся, посмотрят на светлячка, папа с мамой пожелают рассказать в подробностях про Мальту, прибежище масонов и морских разбойников, но испортит настроение мерзкий тип, которого никто не приглашал, прервет на полуслове, уязвит-порушит: «Когда я плавал по Амазонке... Поднимался на Килиманджаро... Прогуливался по Порт-оф-Спейну...» Галапагос и Вальпараисо, Барбадос и Манагуа, Тринидад и Тобаго. «Ах, Парамарибо, Парамарибо, который в Суринаме...»

Папа с мамой перемигнутся: «Уж на будущий отпуск...»

Потом гости уйдут, мама вскипятит воду и обдаст камень крутым кипятком, чтобы пролилось во все углубления, уничтожило верткую живность, заодно и светлячка с его голубеньким мерцанием.

Падает еще один апельсин, и остается на ветках два, всего два, сколько ни пересчитывай...

Завершается день седьмой и последний, за которым — сверх всякого ожидания — последуют авторские измышления, выстраивающие мнимые реальности, скрытые от непосвященных...

7

Говорил незабвенный друг в минуты прозрения:

— Это сочинять долго, в муках облекать в слова, на страницы укладывать, под переплеты упрятывать — прожить можно и вкратце. Ты написал книгу, которой не должно быть. Поймешь, Финкель, по последствиям, ей сопутствующим. Ты сочинил — тебе отвечать...

А начнется оно так.

Вечер будет непокоен.

Беспокойная будет ночь.

Хмарь покроет город на исходе заката, хмарь в облаках, хмурь в душе, лишь прогал поперек неба — блеклым, нацеленным клином устремится к Мертвому морю, в край непроглядного мрака. Прохожие задерут головы, вглядываясь; отчаявшиеся усмотрят злобное существо в погоне за жертвой, надеющиеся на лучшее примут его за птицу на пути к рассвету.

Финкеля станут донимать звуки, которым не найти разгадки. Звуки будут полниться, вспухать, буравя барабанные перепонки, не спасет даже подушка на ухе. Тоску вызовет чистый лист бумаги, одолеют сомнения, ускользнут из обихода нужные понятия, всплывая без надобности в неурочное время. Ухнет напоследок птица оах, вылетая на ночную охоту, суждения ее категоричны, выводы безжалостны: «Пора, Пинкель. Не продлить дни твои». — «Кому-то мешает, что я жив?» — «Ты в Красной книге, Пинкель, тебе вымирать». — «А вам?» — «Нам — нет. Охмурели, огрубели, заскорлупились. Еще в мезозойскую эру».

В полночь задует ветер, пробушует до рассвета, расплескивая по стенам пылевые струи, перетрогает листья на пальмах, перестукает гранаты на ветках, облохматит растения на балконах, опрокинет цветочные горшки.

Птицы засуматошатся на деревьях, зверье заревет в предчувствии, девочка Ая забормочет во сне, голубенькая жилка надуется на лбу:

— Дедушка, не уходи!.. Де-душ-ка!..

К рассвету утихнет ветер.

Развиднеется за окном.

353

Двадцать третьего апреля, под утро, сорвется с дерева апельсин, закатится в траву, где догнивал его предшественник, и останется на ветке один, только один.

Дрожь пройдет по спине, словно пугливый зверек пробежит на коготках. Выпадет молочный зуб, так и не пустив корни. Колючая змейка скользнет из предсердия в желудочек, заколотится пульс, голову обожмет тугой повязкой, которую не удалить.

— Боль бывает двух видов: испытанная не однажды и прежде не опробованная. К первой можно приспособиться, и когда она навещает, известно, как ее утишить или перетерпеть. Неопробованная боль настораживает, а то и пугает.

Опустит ноги на пол, на ощупь отыщет тапочки, высмотрит в тусклом удивлении обложки книг на полке. Кто это столько насочинял? Когда? Неужто он?..

Его даже не поставят на движущуюся ленту.

— Ходить нельзя. Это опасно.

— А летать?..

Отберет самое необходимое, втиснет в чемодан на колесиках, выслушает под утро прогноз погоды: жарко-холодно, сухо-влажно, ясно-облачно. Место назначения не назовут, без того можно догадаться.

Вымоет посуду.

Приберет в комнатах.

Польет цветы на балконе.

Отправит внучке под-подушечное послание: «Мир таинственен, моя хорошая. Не утюг с кирпичом, не бутылочное стекло на просвет: это поймешь не сразу, но когда-нибудь поймешь».

Поставит диск на прощание, постоит на пороге, послушает, прикроет без стука дверь квартиры, чтобы играло и без него.

Чтобы играло.

Жалобно и тревожно заплачет виолончель: «Как же так? Ну, как же?..» Откликнется, застонет скрипка в струнных стенаниях: «Отчего разучились радоваться? Ну, отчего?..» Попытается убедить фортепьяно в клавишных обещаниях покоя, тишины, согласия: «Не так уж и плохо... Не так уж...» — смятение, задавленные вздохи, протянутые вослед руки, слабея, замолкая, примиряясь с неизбежным...

Выйдет из подъезда, огладит ствол кипариса, попрощается без зависти:

— Ты-то, дружок, меня переживешь. Со своими шишечками.

На улице будет не жарко, не ярко. Солнце укроется за белесой пеленой, настороженно высматривая Финкеля в его завершающем обличье. Притихнут певуньи на ветвях. Такси остановится. Шофер дверцу отпахнет:

— Куда едем?

— На край неба.

— Садись.

— Ты же не доберешься.

— Заплати сначала.

Но Финкель с ним не поедет. Углядит свое отражение в автомобильном стекле, вздохнет:

— Вступаем в полосу неудобств. Был дедушка-кузнечик, станет старичок-пенек...

На автобусной остановке, в будке для продажи лотерейных билетов окажется незнакомая дама в шляпке, с брошкой на плоской груди. Пригорюнится на скамейке мужичок в легком подпитии, с пожаром внутри, который не утишить и основательным вливанием:

— Худо-то как! Так уж худо — хужее некуда...

Увидит старого знакомца, закричит с расстояния:

— Схватись за дерево! Чтоб не упасть. Девка у нас. Два кило триста...

— Внучка?

— Дочка.

— Чья?

— Наша. Дура-баба, не предохранялась: «От тебя, что ли? Чего ты сумеешь, малахольный?» Сумел! Сумел я!.. — И заново: — Худо, худо-то как...

— Минутку, — остановит его Финкель. — Я ее видел вчера. Вашу жену.

— Так она ж толстая. По ней незаметно... Досидела до последней крайности, билеты продавала, чтоб не выгнали. Отсюда и увезли.

Прихлопнет руками:

— Баба моя, ну баба! Кровь казацкая! Здесь таких и не заводили.

— Почему казацкая?

— Бабка ее, бабка станичная! На коне скакала, шашкой махала: «Сколько красных порубала — не счесть!» А дед? «И дед порубал. Мы с ним на пару».

— Дед-еврей? — поинтересуется Финкель.

Фыркнет:

— Дурной, что ли?.. То другой дед, с другой бабкой.

На той стороне улицы остановится автобус.

Пошагает через дорогу солдат-великан с тяжеленным рюкзаком и автоматом. С ним девочка по плечо солдату, тоже с автоматом, с рюкзаком.

— Здорово, батя! Это Эсти.

— Митя, — потерянно скажет мужичок, не обращая внимания на его подругу. — Сестричка у тебя...

— Не боись, батя, — ответит Митя. — Прокормим.

И поведет девочку Эсти в родительский дом. В обнимку. Шаг в шаг.

— Парень у меня... — вяло погордится мужичок. — Ну и парень. Таких тут не бывало...

8

На входе в автобусную станцию его остановит охранник. Скажет, вглядываясь:

— Неважно выглядишь, старый человек. Скажем иначе: плохо, дед, смотришься.

Голова тяжела.

Глухота в ушах.

Сердце не унять.

Пульс зачастит за допустимые пределы, и Финкель сползет прилюдно на плиточный, ногами затертый пол. «Не так это делается, не так! — возмутится ликующий старик. — Добейся того, чтобы тебя запомнили. Гордым и удачливым». — «Чтобы не стыдились за тебя», — буркнет старик опечаленный, отпихивая сожителя.

Его повезут на каталке. С сиреной прокатят по городу. Уложат в кровать и обтыкают шприцами.

— Ото-то, — скажут. — Ото-то... К тому идет.

— Сок принести? — засуматошится мама Кира. — Яблочный ему можно?..

— Коньячку, — добавит папа Додик. — Коньячку бы ему...

— Всё, — скажут, — несите. Что успеете.

Оглядит в палате престарелый люд, собратьев по боли, засипит нестойким фальцетом: «На каком возрасте вы остановились?» Старики переглянутся в недоумении, один, самый догадливый, ответит: «Мне сорок. Всё еще сорок. Порой тридцать семь». — «Господи! — подумает Детеныш-Финкель. — Как они меня переросли...»

Из соседней палаты понесутся стоны взахлеб, всхлипы-оханья: смерть встанет у изголовья, тронет и отойдет к другой кровати, передумает — вернется обратно, а Финкель будет лежать, распластанный на матраце, улыбчивый и стеснительный, словно займет это место не по праву-страданиям. Вот бы воротиться домой, лечь в свою постель, потянуться в истоме, заурчать в неге: «Здравствуй, моя подушечка! Здравствуй, одеяло! Простыня, наволочка, тапочки мои, как я без вас тосковал!..»

— Что вы ощущаете? — спросят участливо на обходе.

— Себя ощущаю. Но мало.

Завтра не придет к нему. Послезавтра. Не ощутит над собой руки охраняющей, что сопровождала его, перста указующего: «Туда тебе. Теперь туда...» День разложится на простые числа, которые не с кем делить на свете, проступит внутреннее выражение лица, скрытое от непосвященных, на беленом потолке палаты проглянет: «Оживляем, но в меру. Оздоровляем, но частично. Излечиваем, но не всякого».

Проскользнет по коридору неприметный мужчина, предложит обеспокоенным родственникам визитную карточку — немалый на нее спрос: «Shur, Cogan and Co. Большой выбор памятников. Изготовление и установка. Перевод дней рождения и смерти на еврейское летосчисление. Shur and Cogan — это проверено».

Проявится некто в белом, с лица строг: не врач-санитар, не ангел, не Самый Главный Сочинитель.

— Встань, Финкель.

Встанет.

— Приступая, переступай.

Переступит.

— Иди.

Пойдет.

Не все болезни следует лечить, и в конечный свой час он сбежит из палаты.

Заблажит вослед медицинский персонал:

— Эй! Ты куда собрался?

— Отправляюсь туда, куда надобность указывает.

— А точнее?

— Синий дым Китая. Считайте, что уже взлетаю.

— У тебя и билета нет.

— Я без билета.

— Чемодана с вещами.

— Я без вещей.

— Не попрощавшись?

— Прощался — вы не заметили.

— Не оставив записки, послания, намека?

— Намекал — вы нелюбопытны...

И вот он уже на пути в аэропорт.

На выезде из города движение замедлится. Неспешно покатит черный катафалк, за ним, длинным хвостом, машины со скорбящими. «Ребенка... — шелохнутся пассажиры. — Ребеночка хоронят... Которого взрывом... Среди прочих... Да воздастся злодеям по мере их злодейства...»

Процессия свернет к кладбищу, движение убыстрится. Автобус закрутится по серпантину, покажутся через долину дома с красными черепицами, среди которых запрячется и его крыша. Бросит из окна монету, бросит другую, — поможет ли это с возвращением?..

Не угадать заранее.

Примостятся в автобусе, на заднем сиденье, оранжевые карлики Риш и Руш, возвращаясь на озеро Ньяса, в глубины Африки, озабоченно покачают головами: «Что-то у вас не так...» Птицы устремятся вослед, шахруры, снуниты, зарзиры и нахлиэли, сумато́шно взмахивая крыльями, призывая вернуться:

— Шув, Пинкель... Шу-уу-ув...

Аэропорт откроется по всем направлениям, мыслимым и немыслимым. На табло появится перечень заманчивых мест, в которых стоит побывать: Осло, Чикаго, Марсель, Касабланка, Синий дым Китая... «Отлетающие души! — оповестят по радио. — Подготовьте медицинские документы, подтверждающие право на взлет».

Место встреч и место расставаний.

Потерь и приобретений.

Затаится в кафе, в дальнем его углу, некрупный старичок, отживший свое, нехотя распробует бутерброд с сыром, разглядит на витрине рекламу нового диска: «Сто и одна мелодия! Вслушайся, пока жив».

Туалетный служитель покатит мимо тележку с тряпками, щетками, рулонами туалетной бумаги, помашет приветливо, но не остановится, нет, он не остановится. Сгорбится неподалеку мужчина: глаза измученные от бессонных ночей, в чашке остывший кофе. К чему бы это? К тому, что очередной сюжет прибьется напоследок бездомной собакой, почуяв доброту случайного прохожего.

Мужчина спросит:

— Ждешь?

— Жду. Свой рейс.

Подсядет к нему:

— Можно я тебе расскажу?

Не выговориться случайному попутчику под стук вагонных колес: нет здесь дальних поездов, а в ближних не успеешь разговориться.

— Можно, — разрешит старичок.

— История печальная. Испортит настроение.

— Ничего. Я привык.

Потрет лоб. Прикроет глаза. Пальцы у него задрожат, задрожит чашка в руке, что насторожит бывшего сочинителя.

— Ее отец сбежал из семьи, когда была крохотной. Сбежал в Австралию, навсегда, и вдруг объявился после нашей свадьбы. Сразу после свадьбы. Позвал в Мельбурн, прислал билет, и она полетела. «Ты его не узнаешь». — «Узнаю, — радовалась. — Я узнаю...»

Этому человеку нужен терпеливый слушатель, проявляющий повышенную заинтересованность, — старичок ее проявит.

— Встречаешь?

Помолчит. Сморгнет замедленно, нервный тик в углу рта:

— Встречаю. Второй уже месяц...

Известно по опыту: сюжеты торопить не надо. Стоит дождаться откровения, которое неминуемо.

— Ты хорошо слушаешь, а это такая редкость! Тебе я скажу... Самолет падал с высоты. Не падал — планировал... В кармане у мужчины нашли блокнот, куда он успел написать: «Благодарю жену и детей за наши счастливые годы...»

Пальцы задрожат сильнее. Кофе прольется на стол.

— Не было у нас счастливых лет. Были недели... — Вскочит со стула: — Глупец! Недоумок! Зачем отпустил одну? Полетели бы вместе...

— Поверь мне, — скажет старичок. — Нет на тебе вины. Она была счастлива. Вышла замуж за любимого человека, летела к отцу. И погибла счастливой, всякому бы так.

Закричит шепотом:

— Есть! Есть вина!..

Убежит. Вернется. Вглядится пристально, глазами в глаза:

— Кругом соблазны, грязь, фальшь кругом и обман. Ее забрали, чистую, невинную, чтобы не загрязнила душу... Но меня-то, меня зачем оставили?..

Не пойти в аптеку, не попросить таблетку, чтобы обезболило, обезволило, обеспамятило, — душу измученную не утишить. Зависнет во снах самолет, громадный, на полнеба, неспешно теряющий высоту, — младенца протянут через иллюминатор, грудного младенца с соской во рту, которого не уберечь...

9

Вновь прокричат по радио: «Завершается посадка отлетающих душ! Гражданин Финкель, вас ожидают в полосе отчуждения, накопитель номер семь».

У выхода на поле пристроится Фолкнер-Хемингуэй, на голове берет, в зубах трубка:

— Идите уже, не затягивайте сюжет, его занимательность. Ну и герой достался!

Добавит обидчиво:

— Я не ваш писатель. Мне ли не знать?

Финкель ответит:

— Писатель — ладно. Можно еще перетерпеть. Вы не мой человек.

Его сфотографируют у трапа самолета. Встанет лицом к остающимся, рука поднята для приветствия, раскрытая ладонь: «Скажу честно: вы меня не очаровали. Я свое отлетал, а вы не попробовали, даже не подумали о том в суете забав. Не хотите знать. Не желаете видеть. Чувствовать чтобы в меру. Сочувствовать — никому. Счастливые люди, что же вас так обузило?» — «Тебя это ёжит? — откликнутся небрежно. — Не наводи уныние, Финкель, нас это не ёжит».

Фотографию сотрут за ненадобностью.

Чем же оно продолжится? Тем и продолжится. На табло промелькнет список отлетающих душ, мгновением, миганием глаза, и среди прочих: «Finkel, 17.24, on time», что означает «Финкель, 17.24, вовремя». Путь завершить свой, не чужой, пасть смертью славных с полными горстями впечатлений, записать по прежней привычке, — но будет ли напоследок бумага, карандаш-чернила? «Очередь эта куда?» — «Очередь эта на тот свет». Тот свет — не этот свет, там и понятия иные, иной цвет. Заботы? Неосязаемы. Соблазны? Неприкасаемы. «Вы последний?» — «За мной женщина занимала. Но она отошла». — «В мир иной?» — «Можно так сказать...»

Расставание с планетой — плач, благодарность, упрек, досада на невосполнимое. «В далекий край товарищ улетает. Родные ветры вслед за ним летят...» А вот и последнее слово, которое не стыдно выложить на бумагу, подготовленное загодя, подобно савану у запасливой старушки:

— Обо мне не горюйте. И не устраивайте черствые поминки, когда сказано-переговорено, слова пустые, избитые. Прожиты годы, временами осмысленные, в меру озаренные, с войной, что не зацепила, в мире, который мог быть пригляднее. Дышите без меня, только не забывайте, перескажите детям вашим: жизнь — это последний шанс стать счастливым.

И начнется движение одностороннее.

Одностороннее — потустороннее за пределы биографии, где нет «верха» и нет «низа», нет «прежде» и нет «потом».

Душам положено взмывать.

Светлячки-гахлилиты разгорятся на пути, прокладывая тропу в запредельное надземелье. Радуга красочным обещанием раскинется перед ним, сияющая бездонность обновления. Вознесется ликующий старик, легок и покоен. Поспешит следом старик опечаленный, светел и лучист. Чтобы за четыре взмаха крыла, подобно пророку Элиягу, одолеть мир из конца в конец на подступах к полному освобождению, высматривая с высоты наготу земли.

Сквозь прорехи в облаках пробьются столпы света — органными трубами, вознесут неодолимым призывом, как органист мощью своего исполнения вздымает каменную кладку купола. Кто перевернет для них нотные страницы? За чьим повелением они последуют? Molto espressivo, spiritoso, fortissimo...

Блекло-желтые раструбы, чудо тропиков — «Angel`s Trumpet», «Brugmansia пахучая» — вскинут головы на газоне, возвестят серебристым призывом: «Тру-аа! Слушайте все!»

Скромная герань на балконе подаст голос свирелью.

Цикламены на камнях отзовутся ксилофонной маримбой от цветка к цветку.

Анемоны, ирисы, орхидеи — в согласном многозвучии кларнета, флейты, валторны.

Вступят ударные — дробной россыпью, шишечками кипариса по асфальту.

Ибискусы вызвенят глокеншпилями-колокольцами.

Акации, вскормленные на слезах, застучат створками кастаньет.

Капельный источник в горах — металлическим треугольничком — добавит свое.

Дрозды на антенне, на ее поперечине — тесно, в ряд, слаженно, заливисто, в черных концертных костюмах — уложатся в нотный расклад.

Переспелый гранат опадет наземь в заключительном аккорде.

Сосны на газоне, строгие, торжественные, вытянутся в струнку до глубины корней, вслушиваясь в предзакатный хорал, неземное крещендо, в звенящую ноту прощания, провожая на взлет калечных духом, сокрушенных, смирившихся.

Ярое солнце, восторженно оранжевое, зависнет гигантским апельсином над кромкой горы; самолет с отлетевшими душами чиркнет серебристой нитью, размывающейся в синеве.

Скажут вослед, запрокинув головы:

— Позавидуем тем, которые его встретят. С ним будет не скучно.

Прокричат в небо:

— Спасибо, Финкель! Спасибо, что посетил нас!

Оттуда, с высоты, донесется ответным кликом:

— Гур... Гур-Финкель...

И негде его искать.

10

Самолет плавно наберет высоту, по пологой траектории, чтобы души не рассыпались от перегрузок, — хотя какое это имеет значение?

Спросят придирчиво на входе: «Финкель?» — «Финкель». — «Что на земле делал?» Ответит: «Любил». — «Еще?» — «Тосковал» — «Еще?» — «Глядел в потолок. В вымыслах находил убежище. Создавал иные мифы, отвергая старые, — какая сладость!» — «И всё?» — «Разве этого мало?» Посовещаются. Поспорят: «Его прислали на землю, дар вручили неразменный, а он, что он?..» — «Постарался. Прожил неспешно. Кое-что сотворил. Иди, Финкель, тебя ждут».

Они шагнут навстречу, его герои, которым позволено умереть. Ривка-страдалица под руку с Амноном, старушка — улыбчивая горбунья, ушедшая в свой срок, муж ее Зяма, машинист паровоза, Меерович-Лейзерович с женой Цилей, которая от него опухала, хохотун майор Финтиктиков, реб Шулим, вечный молчальник, незабвенный друг Гоша, прочие разные, схоронившиеся под обложками, как под крышкой гроба. Окружат, затолкают, закричат наперебой: «Заждались, Финкель! Что же так долго?..» Обойдет всех, пожмет протянутые руки, похлопает по плечу: «Ну, конечно, други мои... Конечно...» — так говорил каждому, примиряя, подбадривая, подталкивая на откровения в вымыслах сюжетов.

Вот и брат его, папа-мама, бабушка Дина, дедушка Фишель, няня Фекла Тимофеевна, даже скорняк Карпилевич, который сосватал родителей, а в стороне... Самое оно — в стороне. Дождется, пока со всеми поздоровается, наговорится, всех обнимет, возьмет за руку, уведет за собой. И первые их слова, самые первые — не для иных ушей...

Станут его хоронить.

Станут оплакивать.

Вычеркивать из телефонных книжек.

Омрачатся выглядывающие из окон. Затоскуют стерегущие прошлое. Заскучают сидящие на перекрестках.

Дом притихнет без Финкеля, как призадумается. В опытной делянке усохнут растения. Ото-то затопчется на автобусной остановке в ожидании его возвращения, девочка Ая застынет у окна: «Гаа-гуа, де-душ-ка... — прощальным кликом. — Гаа-гуа...»

Останутся на письменном столе — памятью о нем — лампа, часы, очки в футляре, горка затупленных карандашей с ластиком, недочитанная книга с закладкой; останется неотправленным под-подушечное завещание: «Девочка моя! Почувствуешь слабость на своем пути, тоску, чью-то неприязнь, подпитывай себя светом дня, россыпью цветений, перистым облаком над головой, птичьим говором на рассвете. Подпитывай — не прогадаешь». Ая подрастет, побежит в школу, в балетный кружок, станет делать уроки за его столом: «Де-душ-ка! Тебя нет, но вот же, вот же ты!..» — ради этого стоило жить.

Ото-то займет место реб Шулима и заглохнет на скамейке: слаб, уязвим, изнутри плох. В драной рубахе, затертых штанах, слезу промокая нестираной тряпкой, бегучую свою слезу. Еда не взбодрит его, манная каша с вареньем; постареет до дряхлости и несгибания коленей, которым не сдержать тяжести тела, занедужится и похужеет, съежившись обличьем, облысеет на голове и груди, потеряет пару лошадиных зубов, оглупеет заметно — даже дразнить перестанут, и соседи закачают головами: «Ото-то, граждане... Ото-то...»

Забредет во двор строгий верзила с убогим разумом — ему на подмену, лицо приблизит к лицу, осмотрит-обнюхает, язык его непослушен:

— Ты кто?

Ото-то промолчит.

— Тебя как зовут?

Ото-то не ответит.

На стене дома останется извещение о смерти: «Благословен Судья Праведный...» Будет висеть долго, очень долго, намокая от ночной росы, высыхая на припеке, кто же его сорвет? Не опадет и последний апельсин — вопреки закону всемирного тяготения. Ая станет выглядывать из окна и месяц, и два, и больше: так и усохнет на ветке.

А что сохранится? Сохранится — что? В видениях на потолке, невозможных к исполнению?

Тень на балконе. В ожидании другой тени. Хлопанье без звука дверью машины, стремительный пробег к подъезду, взгляд поверху — ждет ли, томится ли: кофе без сахара, ломтик брынзы, сбрасывание излишних покровов, прикосновения с переживаниями...

Еще? Что еще?.. Работа-изнурение до надорванной жилки в груди, увлеченность, душевное ненасытство, восторг от удачного слова на строке — это останется от идущих среди стоящих, утешит на взлете Божьих дурачков....

А что с квартирой Ривки-страдалицы?

Ее продадут нескоро, дождавшись повышения цен на недвижимость, и купит квартиру доктор Горлонос с первого этажа, вскроет полы, взломает стены, раскурочит потолки, утопив в них светильники, чтобы подготовить комнаты для врачебного пользования.

Он-то и окажется жестким и прижимистым: снимет дверь на лестничную площадку, раскроет этаж для удобства пациентов, порушит посиделки за чаем. «Можете обзывать как угодно. Что надумаю, сделаю». Призовет верхолаза, и кипарис на газоне, гордый, вознесенный над всеми, обкорнают под пуделя до самой почти верхушки, чтобы не сорил шишечками-иголками, — от унижения он начнет усыхать. Срежут и верхушку апельсинового дерева, чтобы не затемняла врачебный кабинет, погубят недозрев-

шие еще плоды, — доктор Горлонос и его гости
продолжат музицировать на скрипках-фаготах.

Но это случится потом...

...а на газоне напротив французского консульства, посреди сосен, вскинувших в горести
свои макушки, приникнет к стволу тайная его
подруга. Не слиться с деревом, травой, стеной
Старого города, подсвеченной к ночи, не докричаться — не добиться отклика. Лицом прижмет-
ся к сосне, слезу прольет в плаче неслышимом,
весомую слезу:

— Ты же обещал... Десять своих лет...

Губы обтрескаются. Глаза в тоске. Взгляд тя-
жел.

Это не вернет его к жизни...

Эпилог

Может, оно и так...

«...входишь в иной замысел, как в неопознанное пространство под кладкой купола. Входишь сторожко, с оглядкой, в эхо гулких пустот, которые наполнять чувствами и поступками. Ты покоен поначалу, заселяя пространство, покоен и вдумчив до первого понимания, что подобное тебе не под силу, — да и кому оно под силу? Над куполом простирается небо, смертному неподвластное, под полом затаились глубины глубин, куда нет доступа, но ты идешь, продвигаешься дальше, и пустоты заполняются, поступки проявляются, чувства выплескиваются наружу, звучит хорал, взмывая к куполу, эхом вторят голосники, вмурованные в стены, — как же ты велик, сочинитель, до чего же ты мал...»

...а ночью...

...во мраке спальни, где кем-то надышано...

...на ложе хрупкого согласия...

...тянет руки к потолку тайная его подруга...

…чтобы пробиться наружу…

…силой своей тоски …

— Ты же обещал: «Позовешь — откликнусь…»

Потолок раскидывает створки навстречу ее желанию, и вот он уже снижается на полосу, совершает мягкую посадку: «Finkel, on time», выходит в зал ожидания в туристской шапке с козырьком, с цветком в петлице, сорванном на островах Фиджи или Самоа. «Здравствуйте! Как же вы обходились без меня? День. Час. Минуту». Сам и отвечает: «Плохо нам было. Без тебя — никак».

— Забери меня.

Бежит.

Едет.

Снова бежит.

На газоне, напротив французского консульства, занята их скамейка. На скамейке пристроилась пара, не обретя пристанища: пожилой, очень уж пожилой мужчина и женщина моложе его — взглядом, поступью, статью. Редкие возгласы. Долгие молчания. Грустны, бесквартирны, рука в руке.

На траве, спиной привалившись к сосне, сидит музыкант, пузатый, лохматый, издавна не молодой. Вскидывает трубу к небу, зажмурив от усилия глаз, словно хочет докричаться, упросить, вернуть ту, что ушла, выдувает, фальшивя, «Dance me to the end of love…»

Женщина проходит мимо. Ведет на постромках крохотного человека в крохотных джинсах, который деловито, вперевалку, осваивает окрестности.

— Тук-тук-тук... — отзывается дятлу.

— Шуф-шуф-шуф... — ветру в облаках.

Останавливается возле музыканта, тянет руки к трубе, но тот не перестает умолять, западая на ноте: «Dance me... Dance me... Dance me...»

Сосны неодобрительно покачивают верхушками.

Женщина улыбается, не вмешиваясь.

— Тру-ру-ру... — повторяет человек в джинсах, идет дальше своей дорогой.

Ветви мимозы провисают до земли, образуя укрытие.

Роса опускается на траву, и та отзывается благодарно едва уловимым запахом зелени.

Тайная подруга усаживает его на камень в окружении щедрой желтизны, которая опадает к ногам с тихим шелестом, сама пристраивается рядом, ладонь кладет на ладонь. А над головами, вдоль синевы, поперек судьбы, на исходе неспешного к ним подлета — птичье перо на полнеба дымчатыми, сквозистыми облаками, омытыми за морями, чтобы восхитить каждого, кто на это способен.

Сутулится седоголовый на камне, колени обхватив руками:

— Не унести с собой взгляды, походку, умолчания твои. Не повторить поездки на оранжевой капельке, прогулки в россыпи цикламен, луч, пробившийся через завалы облаков, восторженный закат розовым, невозможно розовым сполохом над головами. Помни это. За двоих помни...

«Dance me... Dance me... Dance me...»

Тайная подруга просит:

— Назови по имени. Хоть раз назови. Подари мне меня.

Не освободиться от памяти, что засела иглой. Не назвать по имени, чтобы не обратилась в Смадар, Гилу, Эстер, не затерялась среди Ципор, Рут, Рахелей.

«И нас... — просят деревья, цветы, букашка на траве, французские консулы. — Назови словом своим...»

Не дождавшись ответа, берет его за руку, ведет по тропке. Затем по лестницам, вниз и вниз. Где цикламены с анемонами. Анемоны с цикламенами рядами, в буйстве весны, высаженные к их приходу.

Кафе, затерявшееся в зарослях.

Подушки на стульях яркой раскраски.

Тени решетчатые на стенах.

Окна бойницами, чтобы занять оборону, защитить и уберечь, — как же она раскрыта, тайная его подруга!

Молчат.

Пьют вино из одного бокала.

Ее рука на его руке. Исхудалое лицо, глаза огромны. Предыдущее не существует. Последующего тоже нет. Глубина чувств — не донырнуть до дна.

А за окном небо бездонное, темнее синего. Белесый обруч вокруг луны. Стена Старого города, подсвеченная к ночи. Негромкое трио ворожит-пророчит.

Жалобно и тревожно рыдает виолончель.

Стоном — примиряясь с неизбежным — откликается скрипка.

Упрашивает фортепьяно в обещании покоя, согласия, — смятение, задавленные вздохи, непролитые слезы, слабея, затихая, кровью из сосудов, лимфой из капилляров, видениями из памяти...

Подходит официант:

— Всё нормально?

Если бы так...

— Не сделала, — шепчет, — я этого не сделала. А могла бы, могла...

— О чем ты?

Громко. Так громко, что на них поглядывают:

— Я же умирала... Умирала! Обещание хотела дать: выживу — расстанусь с тобой...

Смотрит — синева глаз нестерпима:

— Но я не дала его, нет, нет... Не дождетесь! — Яростно: — Всё равно бы нарушила!

Доказывает кому-то исступленно, горячечно:

— Не стыдно, ты слышишь? Когда радость, не стыдно — не совестно...

В глазах обещание.

В руке теплота.

Седоголовый встает, подходит к стойке, спрашивает у хозяина:

— Сколько стоят два часа твоего заведения?

— Смотря в какое время.

— Теперь. Незамедлительно.

Прикидывает:

— Тысячи три.

— Вот они, эти тысячи. И чтобы никого не было. Ни посетителей, ни официантов, ни повара. Понял?

Глаза у хозяина блудливые: продешевил, не иначе.

— А подоходный налог?

— Добавь.

— А налог на дополнительную стоимость?

— Тоже добавь.

— Моральный ущерб? Посетители обидятся, больше не придут.

— Добавь, черт тебя побери! И выматывайтесь отсюда! Немедленно!..

Остаются они одни.

— Ми-лый... — на выдохе. — Ты и меня вы-ду-мал?

Может, оно и так...

Завершается повествование, а с ним и мнимые реальности, к которым нет и не может быть привыкания, высмотренные на беленом потолке, выстраданные в одиноком жилище на исходе дней, в привилегии воображения...

Иерусалим, 2008 — 2011

Оглавление

Кандель Ф.

К19   Может, оно и так…: Роман / Феликс Кандель. — М.: Текст, 2013. — 381[3] с.

ISBN 978-5-7516-1115-6 («Текст»)
ISBN 978-5-9953-0213-1 («Книжники»)

В Страну Израиля приходит весна. Родители улетают на Мальту, а дедушка Финкель и внучка Ая, воспользовавшись их отсутствием, отправляются в поход по собственной квартире, по весенним улицам, по невозможным историям. Внучка требует рассказов о своей бабушке, которая не дождалась ее, а старого сочинителя ожидает на скамейке тайная подруга. Так проходят семь дней. Однако сюжет в романах Канделя не столь важен. Читатель ценит другое: мастерство детали, диалога, маленьких историй и музыкально-ритмичных переходов.

Феликс Кандель родился в Москве, писал под псевдонимом Ф. Камов. С 1977 года живет в Иерусалиме.

УДК 821.161.1-31
ББК 84(5Изр)

ПРОЗА ЕВРЕЙСКОЙ ЖИЗНИ

Феликс КАНДЕЛЬ

Может, оно и так…

Роман

Редактор А. Бурьяк
Корректор Н. Пущина

Подписано в печать 11.12.12. Формат 70 x 100/$_{32}$.
Усл. печ. л.15,6. Уч.-изд. л. 11,96. Тираж 3000 экз. Изд. № 1114
Заказ № 1614.

Издательство «Текст»
127299 Москва, ул. Космонавта Волкова, д. 7
Тел./факс: (499) 150-04-82
E-mail: text@textpubl.ru
www.textpubl.ru

Издательство «Книжники»
127055, Москва, ул. Образцова, д. 19, стр. 9
Тел. (495) 663-21-06; 710-88-03
E-mail: info@knizhniki.ru
Интернет-магазин: www.knizhniki.ru

Отпечатано в ОАО «Можайский полиграфический комбинат»
143200 г. Можайск, ул. Мира, 93
Сайт: www.oaompk.ru, www.оаомпк.рф
тел.: (495)745-84-28, (49638)20-685